ULTIMOS CLASICOS

JUAN BENET

NUNCA LLEGARAS A NADA

PROLOGO DE FELIX DE AZUA

Editorial Debate

Colección dirigida por JUAN CARLOS SUÑÉN

Primera edición en esta colección: marzo 1990

Compuesto en Imprimatur, S. A. Impreso en Unigraf
Impreso en España. *Printed in Spain*
I.S.B.N.:
84-7444-402-0
Depósito legal:
M-8001-1990

PROLOGO

Félix de Azúa

Así como en las costas se alzan los rascacielos para ver cómodamente la playa y el mar, pero al precio de destruir la playa y el mar que pretenden contemplar, así también la literatura sobre literatura cumple a veces esa por lo menos paradójica función. Mi intención no es, desde luego, ponerme como una barrera delante del texto, ocultando la vista de lo que yo pretendo ver. Más bien, a ras de suelo, voy a dejar algunas pistas que puedan servir de guía al excursionista. Garabatos de tiza sobre una piedra, trazados por alguien que ya hizo ese recorrido y cuyo único mérito es haber pasado antes. Por tal razón, quienes deseen seguir leyendo este prólogo, son humildemente invitados a hacerlo después de haber leído los cuentos.

Nadie que en 1961 hubiera hojeado aquel feo libro cuya cubierta gris se adornaba con una fotografía de mala calidad en la que aparecían cuatro ramales del ferrocarril de la estación de Lugo de Llanera en tan pésimo estado que sólo podían pertenecer a un monopolio español, habría dado un duro por su autor. De hecho, nadie lo dio. Ni el editor, ni la crítica, ni los posibles lectores, los cuales, por aquellos años, preferían leer a Ignacio Agustí o a Alvaro de Laiglesia. Y sin embargo, aquel era el primer libro del mayor talento literario de la postguerra. Se trataba, además, de una extraordinaria colección de relatos sobre la que no caería el tiempo y buena prue-

ba de ello es la presente edición, a treinta años de la primera, más fresca que nunca.

Hasta tal punto no es exagerado decir que nadie hubiera dado un duro por Nunca llegarás a nada *que fue el propio Benet quien hubo de proveer las doce mil pesetas que importaba la impresión de los mil y pico de ejemplares de aquella primera edición. El propietario de la editorial Tebas, don Vicente Giner, que con excelente criterio comercial se había negado en redondo a imprimir el libro, incluso pagándolo su autor, antes de compadecerse del mismo y liquidar, con las doce mil pesetas, una deuda contraída en cierta cafetería de la Cuesta de Santo Domingo, consiguió vender un centenar de ejemplares, aunque un cliente de León le conminó a devolver el importe del libro (sesenta pesetas) tras leerlo. Sólo dos críticos saludaron al nuevo autor; Melchor Fernández Almagro, muy favorablemente, en* ABC*; y Santos Fontenla, sañuda y despectivamente, en* Insula.

Es comprensible que así sucediera. A comienzos de los años sesenta algunos españoles cultos —muy pocos, quizás mil o dos mil— leían novelas de Robbe Grillet y veían películas de Antonioni. En ambos casos el protagonista solía ser un muro desconchado o, con mucha suerte, un ventilador. Se trataba de un mundo sólido, sin sujetos, y muy indicado para el análisis marxista. La parálisis en que había quedado el continente, tras una guerra mundial en la que el predominio de la maquinaria había sido absoluto, tenía trazas de prolongarse.

Pero el primer libro de Benet no cuadraba con esa imagen de hormigón. No traslucía la más mínima preocupación existencial, moral o ideológica. Era literatura en estado puro. No exponía convicciones éticas, sino juicios estéticos. En su primera aparición pública, Benet pudo ser tachado (pero nadie le tachó ni de eso ni de nada, porque a nadie se le ocurrió que aquello fuera tachable) de formalista o experimentalista. Habría sido un error. Lo que en aquellos años se denominaba «experimentación formal» era un juego de hipótesis cuya finalidad se agotaba en la mera representación de un sujeto, y no es de extrañar que su éxito quedara reducido a las artes plásticas. Un Picasso o un Warhol son el espejo provisional y siempre cambiante del juego individual, y de ahí nace la enorme importancia de la firma y la fecha, sin la cual no son nada. Pero el esteticismo, a diferencia del formalismo, huye del planteamiento «genial» y «original» porque no juega con hipótesis, sino que propone juicios. El esteticismo no experimenta; construye con una gramática única y monótona. No juega con las formas; las somete a un juicio. Esa es la diferencia entre Picasso y Mondrian, el uno siempre cambiante y juguetón, obsesionadamente igual a sí mismo el otro; o bien entre Warhol y Giacometti, supermercado de ocurrencias el primero, implacable juez de nuestra conciencia el segundo.

En Benet no hay formalismo de ningún tipo, por muchas que sean las novedades formales que invente; no hay ni sombra de juego, ni un ápice de «genialidad». Cada libro repite tercamente el juicio iniciado por Nunca llegarás a nada, aplicándolo una y otra vez con el propósito de ofrecer el mayor número de perspectivas posible. Esta peculiaridad ha sido malinterpretada con frecuencia. Se le acusa de ser un autor monótono, cuando esa es su virtud; se le acusa de provocar el tedio.

¡El tedio! De existir algo a lo que podamos llamar «obra de arte», nada indica que su función sea, fatalmente, la de producir distracción y diversión. Aun cuando algunas de las más excelentes narraciones son concebidas por sus autores como espectáculos de masas (Dickens, por ejemplo), no por ello lo narrativo está condenado a proporcionar diversión a un número muy elevado de clientes. Muchas narraciones pretenden, por el contrario, ser como los ejercicios espirituales: un esfuerzo que, de proporcionar placer, éste sea de una substancia enteramente distinta al que proporcionan los entretenimientos masivos. Tal pretensión no es sólo, claro está, la que caracteriza al Nuevo Testamento o a las obras completas de Kafka, sino también, aunque de modo distinto, la que subyace en novelas como Don Quijote y Molloy, por poner dos ejemplos muy similares entre sí.

Las novelas de Benet pertenecen a esa estirpe, y del mis-

mo modo que Kafka o Beckett son permanentemente iguales a sí mismos, también Benet permanece inalterable y al margen de cualquier experimentalismo. He ahí lo más chocante de este primer libro: su extraordinaria decisión. Puede afirmarse sin exageración que en estos relatos de un hombre apenas llegado a los treinta años (los cuentos fueron escritos entre 1959 y 1960, cuando Benet residía en Oviedo por razones profesionales), se encuentra aproximadamente el 78 por ciento de los recursos técnicos —estilísticos, si se prefiere— que configuran sus huellas dactilares hasta el día de hoy.

No ya en el primer libro, sino en el primer cuento, nacido a raíz de unos viajes veraniegos por el norte europeo en 1953 y 1954, se encuentra ya el modelo perfectamente horneado. Observará el lector con qué descaro se destruyen las pistas desde la primera página: «un inglés borracho al que encontramos no recuerdo dónde...», «en el curso de cualquiera sabe qué mortecina... conversación...», «empeñados en viajar sin sentido...», «probablemente no le hicimos caso...». Desde la primera línea el lector se encuentra embarcado en un viaje sin destino, acompañado por un extraño de quien ignora el nombre y desconoce cuándo o cómo le conoció, con el cual habla de no se sabe qué, y cuya peripecia carece de dirección, necesidad o relevancia. Poco después Benet cierra la puerta a cualquier explicación causal: «nunca me acordaré por qué emprendimos aquel viaje». La frase no expone una duda sino que afirma una voluntad: el autor se niega a recordar; el lector tendrá que arreglárselas por sí mismo.

Es típico de Benet frustrar las expectativas (comprensibles por otra parte), que cualquier lector habituado a la prosa naturalista posee en el punto de arranque de la lectura. Con Benet es muy aconsejable aplicar la regla de oro que Adorno recomendaba a quienes deseaban iniciarse en la música dodecafónica: no esperar el acorde o la tonalidad a que nos tiene habituado un siglo de música; no escuchar con inercia, no an-

ticiparse a lo que el artífice quiere ofrecernos en el orden que él ha decidido. Para leer a Benet hay que ser sumiso, pero hay que tener iniciativa; la iniciativa debe conducirnos más allá del naturalismo, pero la sumisión ha de proveernos de paciencia para aceptar los datos en el orden (o desorden) en que se nos ofrecen.

Junto al habitual oscurecimiento del espacio y del tiempo narrativos (una técnica que Benet aplica con maestría en todas sus novelas) también en este primer relato hace uso de la frase desmesurada, tortuosa, levemente construida, que introduce al lector convencional en un laberinto del que sale completamente confundido. La primera gran frase de Benet (pág. 6) comienza así: «Jamás se le vio discutir un ejercicio...» y continúa, implacable, hasta «tras una tarde en las afueras en compañía de unas amigas amaneradas». Para el habitual de Benet, la frase posee una música inequívoca, tan personal como la coloración orquestal de Brahms o la paleta de Rembrandt; su aparición, en medio del relato, llega como momento de emoción (no de diversión) y se la espera del mismo modo que esperamos de nuestro actor favorito ese instante en el que se enfrenta lentamente con el público para recitar su fragmento de bravura.

La belleza de estas turbulencias no es sólo musical, sino también arquitectónica, ya que Benet aprovecha la carrera de obstáculos (paréntesis, guiones, digresiones, notas a pie de página...) para marear al lector y, cuando ya lo tiene en posición de tiro, descargarle su artillería lírica, la cual nunca habría sido aceptada por un lector con la cabeza fría y el sentido de la orientación intacto. El habitual de Benet estima las inacabables frases como el cazador sus cotos; aquellos lugares en donde con toda seguridad cobrará una presa. Véase, si no, más adelante, la segunda gran exhibición, desde «Para aquellas personas que lo tienen...» hasta «el vuelo de una mosca en torno a una tulipa verde» (pág. 12), de una calidad lírica muy infrecuente en la literatura castellana. Eran estos los primeros tanteos de un alargamiento que, años más tarde, con la experiencia adquirida, alcanzarían proporciones monstruosas: hay en Saúl ante Samuel *algunas frases que, como saurios prehistóricos, han llegado al tamaño previo a la extinción.*

Otro rasgo característico aparece muy pronto en el relato: la resolución caricaturesca de un personaje, mediante un apunte grotesco que lo decapita en cuanto aparece. En este caso es un capitán del ejército, frustrado cónyuge de la tía Juana, muerto de cólico la noche previa a la boda; el militar, celoso de su deber, tira de la cadena del retrete en plena agonía, lo que le vale, en la esquela, una mención extraordinaria: «muerto en acto de servicio». La presencia constante del humor (frecuentemente negro) es uno de los aspectos menos resaltados por los comentaristas, pero el pudor, fuente de los sarcasmos, no falta en ninguna de las más trágicas (o aparentemente trágicas) escenas. Es más: precisamente son los momentos emotivos los que contienen mayor dosis de comicidad; procedimiento, de otra parte, constante en Kafka, Dostoievsky, Faulkner, Beckett y tantos otros novelistas asqueados por el sentimentalismo.

Hay en este primer relato muchos más rasgos personales, que luego se harán perpetuos, pero acabemos subrayando uno de cierta importancia. Se trata de la aparición de dos o más escenas que se superponen como veladuras y que en Volverás a Región, *la obra maestra, juega un papel muy notable. Reparará el lector en que otro de los inexplicables personajes del cuento, una mujer, comienza un relato sobre su padre (quizás mexicano, quizás cuatrero, quizás violador), relato que se superpone a la narración principal. Este solapamiento se asemeja al efecto producido por una voz externa que recreara acontecimientos enteramente distintos a los que el espectador tiene ante sus ojos. El narrador principal está describiendo el cabello de la mujer («en aquel terrible y estupefaciente remolino de color epiceno junto a la oreja pequeña») pero se ve constantemente interrumpido por la voz externa (la de ella) que continúa con su relato («estamos en el momento en que mi padre y Joel...»); de inmediato el narrador recupera su propia voz («tratando de llegar a aquel mechón...»), y ambas voces se van alternando, no a la manera de un dúo sucesivo, sino en el único contrapunto que permite la literatura, la cual no puede mezclar dos voces en un sólo tiempo.*

Ahora bien, alguien puede preguntar, con todo derecho, qué finalidad persigue tanta maniobra de cocina literaria. O bien, por emplear una expresión benetiana: de quoi s'agit-il? *En efecto, ¿qué relata este relato? Muchos lectores se ven frustrados en el puro acceso a lo más inmediato, acostumbrados como están a historias que «imitan la vida», aun cuando la imiten de un modo ideal o, en ocasiones, perverso. Pero lo que se relata es siempre lo mismo: un viaje a París, una historia de amor (trágica), una huida por la Westfalia, el Mecklenburgo y Dinamarca, una precipitada boda en Hamburgo, un crimen, y un final desdichado en Colonia. Los ingredientes clásicos de toda narración, sumergidos aquí en una atmósfera que sólo puedo comparar con la que caracteriza a los mejores artífices del género negro. También los personajes femeninos son de la* série noire: *«Ella tenía un paso lento, inalterable, y no le importaba quedarse atrás; no le importaba comer patatas y dejar pasar las horas mirando las gabarras, escondida tras las gafas oscuras, las manos metidas en los bolsillos del abrigo canela, con el cinturón muy apretado y el pañuelo anudado en la nuca.» Es aquella atmósfera de hollín, exaltada y patética, del invierno europeo de la postguerra, con un destello dorado: los cabellos de una muchacha que pasea por el* quai des brumes, *presa del hastío, absorta en las oleosas aguas del Sena. La quintaesencia.*

Baalbec, una mancha, *es un cuento casi lineal y de aspecto más tradicional, en el que se propone, de nuevo, un viaje a ninguna parte. En esta ocasión el lugar inalcanzable, imposible de localizar, quimérico, maldito, es Región, un lugar que no pertenece a la fantasía (como Jauja) sino a la imaginación (como la Sierra Morena de Cervantes, por mucho que ésta última figure en los mapas actuales). Siempre que surge Región en las novelas y cuentos de Benet, la única fuerza vivien-*

te es una entidad abstracta: la ruina. No se trata, sin embargo, de una ruina económica o social, sino de una potencia que ha tomado encarnadura terrestre, se ha autobautizado «Región», y somete a sus habitantes (hombres, animales, vegetales, pero también minerales) a una dominación trituradora. En esta primera configuración del mito, el paisaje está ya concluido con la precisión característica del arte descriptivo de Benet; fluye el Torce, decae Macerta y sólo de milagro no aparece la casa de Mazón.

La importancia que, con el paso de los años, tomará esta geografía literaria da al cuento su aureola de acto inaugural e iniciático. La borrascosa historia del tío Enrique, con unos trazos de exotismo valleinclanesco, y las siete inscripciones funerarias de la tumba de los Benzal, poseen ya la carga de romanticismo finisecular que impregna la crónica, aún inacabada, de Región. Ahora bien, sería tarea inútil buscar una coherencia entre las numerosas historias de Región: aun cuando en diversos libros aparezcan los mismos nombres y lugares, nada más lejos de esta saga que la configuración histórica o generacional. Región no es un espacio físico y humano en el que puedan reconocerse los personajes en tránsito, sino un lugar del espíritu dominado por un dios maligno que todo lo reduce a escombros, incluida la personalidad de los caracteres. Por ser un lugar del espíritu, Región está en todas partes y ningún personaje puede aspirar a tener la duración del ente que lo destruye. El París de Balzac se transforma con el paso de los años; el Londres de Dickens crece y se desarrolla; pero Región es inmutable como el Ser parmenideo. Sólo los personajes desaparecen tras una breve salida a escena. Son notas musicales; vienen del silencio y regresan al silencio.

Señalemos, como curiosidad, un pentimento *significativo. En la edición original (pág. 97), Benet utiliza un recurso que luego empleará con frecuencia y que insiste en ese imposible contrapunto musical al que antes hacíamos referencia. Consis-*

te el recurso en la introducción de un paréntesis dentro de otro paréntesis, como si una voz narrativa se engastara sobre otra. En la segunda edición (1969) Benet suprimió este doble paréntesis (aunque no otros). Puede parecer una impertinencia, pero no lo tengo por una decisión acertada: aquel primer doble paréntesis era el mayorazgo de una generosa descendencia, y aunque hubiera nacido algo esmirriado, tenía un derecho, por decirlo así, bíblico, a la existencia.

También Duelo *relata un suceso de Región —la horrenda muerte de Rosa y el sádico duelo de don Lucas— con tintas mucho más cargadas que* Baalbec. *Todo en este cuento es desproporcionado y grotesco, incluida una coloración en amarillo y rosa que Benet usa muy infrecuentemente. La narración se desarrolla en secciones alternadas y heterogéneas. De una parte se presentan en escena dos supervivientes (don Lucas y Blanco) que se agitan como monigotes beckettianos, mientras la voz externa comenta los acontecimientos, a veces con un descaro extraordinario: «Pero aquella mañana especialmente tranquila», dice en un momento dado (pág. 100); «especialmente tranquila» y punto; el comentario queda allí truncado, inconexo, tan extravagante y abortado como los mismos protagonistas. Y, de otra parte, las secciones dedicadas a la difunta Rosa, quizás las más barrocas y exaltadas del primer Benet. Tan exaltadas que, en algún momento, rozan la autoparodia, como en ese desmesurado párrafo entre guiones, de la segunda sección (pág. 109), tremendista y muy bello, que separa dos mínimos pero esenciales cuerpos de frase: «Cuando murió su padre» (aquí empieza la interrupción) y «solamente Rosa asistió al funeral». El ímpetu rapsódico del relato, su coloración chillona y la embriaguez lírica que a veces llega al delirio, quizás recuerden a algún lector la* Noche transfigurada *de Schönberg.*

Pero aún hay otro aspecto del relato que merece ser subrayado. Benet ha inaugurado, él solo, la literatura contempo-

ránea en lengua castellana. No voy a defender este aserto. Sería largo, inadecuado para este lugar, quizás pedantesco, pero sobre todo... innecesario. Sólo juro que puede ser demostrado. Poner al día una lengua literaria quiere decir: permitir en ella la expresión de lo que nosotros sabemos o conocemos, distinto de lo que se supo y conoció en el pasado (lo que nosotros consideramos nuestro propio pasado). Algún narrador contemporáneo, a quien un despiste esquimal encumbró hasta hacerle estallar la boina de vanidad, continúa escribiendo con una prosa en la que sólo cabe el pensamiento de un labriego carlista, por respetable que éste sea. Sin embargo, algunos periodistas lo tienen por el más «literario» de los narradores castellanos. Es, naturalmente, grotesco, y una de las mejores pruebas de su inanidad es la seriedad con la que toma sus propios chascarrillos. Pero dar a la lengua literaria su máxima capacidad, como hacen Benet o Joyce o Bernhard, impide todo tipo de chascarrillo; es más, les condena a lo opuesto al chascarrillo: a la parodia. Muy rara vez las historias de Región evitan la farsa. El trabajo lingüístico es de tal envergadura que los sucesos del relato, su materia épica, resultan irrelevantes. Las historias, los avatares, las aventuras o los caracteres están supeditados a una función de mero soporte para el ejercicio del virtuosismo técnico. De ahí que Benet acuda a los arquetipos y a los lugares comunes (o a los mitos) seguro de que nadie busca en su prosa la edificación moral o el conocimiento psicológico. Pero, por tratarse de lugares comunes, los acontecimientos y los personajes están distorsionados paródicamente, ya que en ningún momento deben ser tomados con la circunspección moral o filosófica con la que se han de tomar, por ejemplo, los personajes de A la recherche, *de Proust, o los protagonistas de las novelas de Tolstoy.*

Quizás ahora se contemple con menos prejuicios el calificativo de esteticista que pusimos al comienzo del prólogo sin la menor sombra de reproche. Otro asunto sería discutir si en un juicio estético como el de Benet no va implícito, también, un juicio moral. Cuestión ésta que todavía no ha recibido una argumentación convincente, a favor o en contra, desde que

Wittgenstein la dejó sobre el quirófano como quien abandona un cadáver y una acusación.

Recorrido por la incertidumbre, Después, *último relato del libro, está construido con pinceladas engañosamente dubitativas («parecía haber iniciado...», «debían beber bastante...», «pocas personas, acaso sólo una...», «tal vez se quedaba muy cerca...», «puede incluso que no pase nada...», «este es seguramente tu primer...», etc.) y brochazos de un lirismo exasperado y caótico. Una vez más, la historia es mero soporte —más defunciones, un heredero idiota, la visita al burdel, una llamada misteriosa...— porque lo esencial es la asfixiante agonía de los indígenas de Región, la cual está expresada con un vigor y una audacia incomparables. Si antes poníamos un símil de Schönberg, ahora deberíamos ponerlo de Alban Berg.*

Este será, seguramente, el cuento que más perplejidades produzca en el lector novato, acostumbrado a una disposición más cómoda o rutinaria del tiempo, del espacio y del sujeto narrativos; una disposición que suele calificarse, muy equivocadamente, de «realista», como si hubiera tal cosa como una «realidad» a la que se puede acudir a tomar vistas. Pero también será uno de los favoritos de quienes ya tengan el oído hecho a la nueva música, y de quienes le robamos lo que podemos. Porque lo extraordinario de Benet no es sólo el impresionante conjunto de novelas que lleva escritas; lo más extraordinario es el conjunto de novelas que pueden escribirse gracias a que Benet ya ha escrito ese impresionante conjunto de novelas. Decía Eduardo Mendoza, en una noche de pindárica exaltación, que ahora debería traducirse de nuevo todo Conrad y todo Thomas Mann, y todo Kafka y todo James (así como Miguel Sáez ha traducido a Bernhard), y todo Dickens y todo Flaubert, aprovechando el aprendizaje que se adquiere (y es casi gratuito) por el mero hecho de leer los libros de Benet. Y nadie que no haya leído los libros de Benet debería traducir a los autores antes mencionados, porque entonces corre el peligro de convertirlos en pseudobarojas y pseudogaldoses.

Es bien cierto. Hace ya muchos años, a finales del siglo pasado, escribió Burckhardt que los maestros pertenecen a dos categorías. Los de la primera categoría son aquellos que con minuciosa exactitud, mucha paciencia y admirable sabiduría te muestran todas y cada una de las calles de la ciudad, y en cada calle te hacen ver el edificio más notable, y en el edificio su detalle más significativo. Pero los otros, los de la categoría suprema, te agarran del cuello, te arrastran ladera arriba pisando espinos y zarzales, si manifiestas fatiga o desesperación te ignoran, intentas descansar y te empujan a codazos, pero llegados al punto más alto de la montaña, con un solo gesto brusco muestran la ciudad extendida a tus pies desde la única y más rica perspectiva, aquella que evidencia las grandes líneas de crecimiento y los motivos del constructor. «Y ahora, dicen, eres libre de elegir lo que te convenga.» Benet pertenece a esta categoría magistral. A todos aquellos que puedan tragarse el orgullo y tengan verdadera necesidad de aprender, les ha llegado su oportunidad. Gracias a este primer libro, por ejemplo.

Barcelona, 1990

NUNCA LLEGARAS A NADA

Un inglés borracho al que encontramos no recuerdo dónde, y que nos acompañó durante varios días y quizá semanas enteras de aquella desenfrenada locura ferroviaria, llegó a decir —tras muchas noches de poco dormir y en el curso de cualquiera sabe qué mortecina, nocturna e interminable conversación— que no éramos sino unos pobres «deterrent» tratando en vano de sobrevivir. Luego dijo que no comprendía nada; preguntaba que por qué seguíamos empeñados en viajar sin sentido (tal vez por eso nos seguía) y pedía que le explicáramos mejor lo que pensábamos hacer, que —por favor— se lo dijéramos de una vez y claramente, porque de otra forma nos abandonaría siempre a nuestra triste suerte.

Probablemente no le hicimos caso; no le contestamos nada, ni claro ni oscuro. A partir de una de aquellas noches se replegó en un espectacular e infantil silencio, que sólo abandonaba para repetirnos —mil veces por noche— que sí, que ya sabía que había gente como nosotros, que nunca se había tropezado con ella, pero que de sobra sabía que existía; que con gente como nosotros (mezclaba un tono de fatal comprobación y un irresistible deseo de negarla) no se podía hacer nada. Me inclino a creer que durante unos días, o unas horas tan sólo, fuimos para él una especie de aturdida visión, de cuya inutilidad, de cuya falta de sentido y de apetito se resistía a convencerse. Nos dijo que era de cerca de Manchester (con la misma forzada pasión con que debía echar pestes de Manchester en el comedor familiar), y que nosotros, en cambio —nunca lograré saber si aquello lo añadió en forma de interrogación o seguro de sí mismo—, qué éramos sino unos pobres «deterrent» tratando en vano de sobrevivir, «trying to rise again». Y agregó algo con un cierto rubor que le obligaba a dirigirse al cristal, empañándolo con su aliento, volviéndonos la espalda y simulando descifrar el letrero de una estación mientras dormitábamos, algo que nunca logré ni lograré entender cabalmente. Arrastraba los días buscando una definición; empezó a mezclar (de noche, por lo general, para continuar obstinado e infatigable repitiéndose a sí mismo durante las primeras horas de aquellas mañanas húmedas a través de la llanura del Holstein, un cielo de calidad irrompible, y, al norte de Flensburgo: las vacas color leña por los suaves declives de Dinamarca) las generaciones perdidas, la juventud sin ideales, el fiasco de la edad y, sin duda, hasta los años de peregrinaje; pero nunca logró encontrarla. Cambiábamos de vagón; Vicente jamás le escuchaba; hacíamos noches sentados en las maletas en estaciones caóticas, nos desviábamos del camino, pero, a la postre, cuando ya creíamos que nos separaba de él media Europa, volvía a surgir rodeado de vapor, que se esfumaba para que apareciera su sonrisa infantil, sentado en el rincón del compartimento, apretándose contra el cristal y mirándome de soslayo (porque Vicente desaparecía en pos de la mujer), para repetirme, con esa terca arrogancia de la que sólo esa raza es capaz, aquella mezcla de reproches inconclusos con que trataba de definir toda la maldición de un destino pasado que se negaba a darse por tal.

Al fin logramos perderlo. Cuando nos decidimos a permanecer en una ciudad, que he olvidado, más de diez días, abandonando nuestra inspiración y dedicándonos a la fruta, desapareció.

Un día comprendimos que no volvería a visitarnos; debió despertarse una mañana con una repentina energía, dispuesto a no sufrir más. Se puso la bufanda y se largó sin despedirse, borracho de manzanas, tratando de disimularse a sí mismo la expresión pueril con que tantas veces nos quiso corregir y seducir, última pólvora que gastaba en honor a una oportunidad que se resistía a dar por perdida, porque con un poco más de experiencia y sangre fría habríamos logrado aprovechar nuestra común libertad con más fantasía y menos arrogancia. Un día se levantó, cansado de llorar y de seguirnos como un perro, y se fue. Le echamos de menos, desgraciadamente. Eso mismo me llevó luego a pensar más en él: la cara aguda, pero las mejillas coloradas, la chaqueta azul con el latín bordado en el bolsillo circundado de fortitudos y «salutems», una especie de hinchazón facial que le nacía por la mañana para despertar con una apariencia aún más infantil, una actitud suspensa, inconforme e inexplicable, como si solamente contara con una clase de censura moral para protegerse de su perplejidad.

Desapareció él, pero su frase quedó allí, injusta y grave, sin significado reconocido. Cuántas veces antes de dormir la he sentido balancearse encima de mi frente, colgando como un huevo, tratando de atraer inútilmente la maldición que no se podía justificar en otra parte. Tampoco ella me la dio ni logré traducirla, ni siquiera he sabido si la había transcrito correctamente. Y allí quedó, unida a todos los departamentos de tercera; las pantomimas sexuales, los botellazos de medianoche, todos los viajes más que a través de las húmedas llanuras de materia irrompible y las granjas nocturnas, emprendidos desde un punto cíclico del vacío hacia una meta innominada del ayer, girando y balanceándose sobre mi cabeza en su idioma original, sin querer ni saber traducirla, sin siquiera entenderla, pero comprendiendo —por eso mismo— que debía tratarse de una terrible verdad que solamente seríamos capaces de superar así que pasaran los años y (además de apagarse los vivos colores del futuro, además de esfumarse para siempre los misterios y vértigos de la juventud) se borraran definitivamente las desordenadas huellas de aquella desenfrenada, casi patética, lujuria ferroviaria.

Hoy sería soportable, e incluso evocador, si no hubiera encerrado una intención tan... personal. Si la índole del fracaso —a la que implícitamente debía referirse— se hubiera discretamente mantenido en el plano de las circunstancias normales sin alcanzar la convicción. No fue así, hoy suena a rayos. Maldita la gracia que le puede hacer a un hombre tenerla encima cada noche —girando en círculos de obsesión, con las cavernosas sombras de la silueta de una tía difunta, con la frente acharolada y convertida en sibila por culpa de un estreñimiento crónico—, tenerla a flor de labio cada vez que sale de casa con las manos en los bolsillos y se encamina —sin saberlo— hacia la cantina de una estación.

Nunca me acordaré por qué emprendimos aquel viaje. Es decir, he olvidado el pretexto. Un día Vicente se presentó en la oficina para preguntarme si tenía dinero.

—¿Dinero? Muy bien. Admirablemente. Tengo cuanto quiero y más —me levanté, empecé a pasearme por la habitación, sacudiendo la cabeza—. Se puede decir que nado en la abundancia.

El era el amigo rico. Habíamos sido ya compañeros en un colegio religioso, donde ni siquiera, creo, llegamos a conocer nuestro mutuo apellido. Más tarde nos encontramos —la mirada un tanto hipnotizada, las convicciones relegadas al futuro— estudiando la misma carrera; nos veíamos una vez al año, en el mes de junio, compareciendo al examen de ingreso. Su fortuna le permitía acudir allí con cierto desprecio hacia la actitud frenética de aquel millar de examinandos; sabía llegar tarde a la cita, arrastrando el tablero con fastidio; sabía mantenerse lejos e indiferente al escándalo de aquella jauría histérica, alborotada por los algoritmos, más preparada para la caza de un pichón que para el examen de ciencias exactas; sabía, en los intermedios, tumbarse a la sombra de un árbol vecino y evocar las noches del verano inminente con uno de aquellos compañeros que llevaban diez años intentando el ingreso con el único objeto de apurar la renta y prolongar la paciencia de un padre cosechero. Jamás se le vio discutir un ejercicio, jamás asomó por su cara la menor preocupación ni el menor interés por el resultado del examen, jamás —naturalmente— asistió a la publicación de las listas de los aprobados —ese momento supremo de la ceremonia de inmolación anual (una noche de verano tradicionalmente cubierta de pesados y morados nubarrones que con majestad e indiferencia cruzaban las copas de los árboles de un jardín auguralmente iluminado por dos faroles de gas y un flexo) de aquella especial muchedumbre de ojerosos y susurrantes examinandos (tras cuatro, cinco o siete años estupefactos, durmiendo boquiabiertos, incapaces de soltar en el sueño los hilos de la fetal esperanza ni el compás socarrón de un despertador incrédulo) y atribulados padres que procuraban conservar la presencia de ánimo, que contenía la respiración y ordenaba silencio cuando se alzaba el telón y asomaba, apoyada en el antepecho de una ventana de la primera planta iluminada por un flexo, la secretaria que había de dar lectura a la lista de los examinandos no tanto definitivamente aprobados como definitivamente indultados de toda incertidumbre, y a la que siguió el silencio fatídico, el grito de incredulidad, el aullido sobre la silenciosa consternación de una decapitada multitud retirándose del flexo con el eco de una ola incapaz de saltar el muro mientras una voz trasera y desolada seguía llamando un nombre con intolerable insistencia y un timbre agudo, pero neutro, impersonal, excitado, emergiendo de detrás de los árboles como desde el reino de las fieras, preludiaba la carrera bajo los árboles— cuyo resultado debió sorprenderle al volver a casa, tras una tarde en las afueras en compañía de unas amigas amaneradas. Tan ancho le vino aquel pequeño drama, tan poco esfuerzo dedicó a aquel lamentable ingreso que, como era de esperar, ingresó en seguida.

La Escuela empezó a aburrirnos pronto y a proporcionarnos pequeños disgustos y molestias trimestrales, que él —apoyado en su inmensa fortuna y haciendo uso de aquella fórmula mágica de la despreocupación— supo siempre resolver con más habilidad que yo. Porque, en definitiva, cuando al cabo de tantos años que la indiferencia ha desteñido intento aclararme qué es lo que realmente logré —relativamente joven— con aquel triunfo que parecía colmar todas las ambiciones heredadas y que parecía incluso capaz de abrir y soltar y desencadenar nuevas ambiciones inverosímiles, me veo obligado a confesar que se reduce a nada. Porque con el privilegio de llegar a ser un funcionario clasificado con una capacidad de despreocupación suficiente para ahorrarme una tentativa de suicidio inútil, se debió agotar también toda la cuerda que debía haber en mí para intentar algo nuevo, aproximando hasta las narices la perspectiva de consumir mis días fumando en divanes cada día más hundidos, contemplando a través de los cristales, centenariamente fregados por una bayeta harapienta que dejó sus huellas espirales, cómo las tardes caían a plomo. Cuando recuerdo aquel tiempo final de estudiante en la casa materna más que la desgana y la indiferencia, convengo en que lo que mi mediocre triunfo me proporcionó con más satisfacción fue la indiscutida capacidad para aguantar imperturbable la mirada de mi tía Juana cuando, por la mañana, entraba en mi habitación a despertarme, clavándome sus ojos pequeños y negros como las cabezas de sus agujas de tejer:

—Calamidad, nunca llegarás a nada.

Era soltera y cincuentona, hermana mayor de mi madre y algo así como la caja de caudales de todas las virtudes de la familia. Las virtudes más notables y significativas de mi familia (como de todas las familias a la víspera de su extinción) eran el malhumor, el espíritu filistino y la avaricia, lo que en la prensa sensata acostumbraba a definirse como la seriedad, el amor al trabajo y el ahorro, y que mi tía Juana había llevado a un grado difícilmente imaginable de perfección. El destino le había deparado tan amargos trances en sus mejores años de mujer que pasó por la juventud como por una autoclave; allí sólo quedaron virtudes esterilizadas, una afición al almidón y una dosis desproporcionada de tiempo inútil por delante. A los ventitrés, siendo prometida de un brillante militar (su retrato —una especie de melocotón sobre un aro de servilleta—, en un marco de hierro artístico orlado de un crespón negro que olía a cabra, permanecía en su mesilla de noche rodeado de medicinas), tuvo que ver cómo el Destino se lo arrebataba de este suelo miserable la misma víspera de la boda. Al parecer, la despedida de soltero, en una cervecería del arrabal que pasaría a la memoria familiar como el pozo negro de Calcuta, le proporcionó tan soberano cólico que aquella misma noche el capitán vació todas sus entrañas por su parte más ingrata; debió ser hombre sufrido y celoso de su deber, porque, al decir de mi tío Alfredo, aún tuvo la energía necesaria para tirar de la cadena en el último instante de lucidez y vaciar el depósito sobre tanto aparato inmundo a tiempo que caía sin vida. Y en el ala (siempre existe ese ala por grande que sea la decadencia familiar) liberal de la familia quedó para siempre la sospecha de que semejante gesto de honradez fue lo que le valió en la esquela el «muerto en acto de servicio».

A despecho de ese pasado la tía Juana y yo nunca fuimos demasiado amigos; para nuestra mutua incomprensión el demonio familiar había encarnado la contrafigura del tío Ricardo en la persona de su sobrino; al correr los años, de la misma forma que la figura del buen Ricardo y su gesto postrero perdían su calor pasional para elevarse a las cimas del ejemplo patriótico, creció el horror del sobrino a las virtudes domésticas, la puntualidad inútil, el rigor, la seriedad a ultranza, los lamentos (a través del pequeño patio y las ventanas esmeriladas) mañaneros del estreñimiento y las invocaciones piadosas, «más cerca de ti, Ricardo», de mi tía Juana, en el vaso de los suplicios.

Y, sin embargo, hoy, cuando acierto a ser justo, recuerdo con alguna frecuencia a la tía, y a pesar de la pesadilla colateral, la deuda de gratitud que para siempre contraje con ella; ahora que la pobre estará junto al buen Ricardo (y me imagino que el paraíso consistirá para ellos en una suerte de común y eterno estreñimiento) me doy cuenta que los principios fundamentales de mi existencia se cimentaron —casi como la casa de Austria— en la rivalidad con la tía Juana. Para un hombre sin demasiadas ambiciones, hijo único de una madre que jamás le pidió explicaciones por nada, y que, aburriéndole la conversación de las mujeres, no tiene el dinero suficiente para irse a vivir a un país del Norte, la misma subsistencia hubiera sido un problema difícil si a su debido tiempo no le hubieran excitado el orgullo y una cierta afición a la burla las provocaciones de una tía virtuosa.

Así que cuando ingresé comprendí que todas las consecuencias del éxito se resumían en dos: la llave del portal y la contextura moral, la categoría cívica suficiente para aguantar cara a cara las miradas de censura de mi tía Juana. Como consecuencia de ello, en mi más recóndito interior debió fundamentarse la convicción de que toda mi deuda para con la sociedad (toda vez que me eran indiferentes los dictados de su censor más estricto) estaba para siempre saldada: ni estudié la carrera sino para acabarla de una vez, ni entre los veinte y veinticinco años logré descubrir nada que me interesara vivamente. De igual forma que cinco años atrás me levantaba todas las mañanas con el «aguanta, continúa, un día lo conseguirás y podrás hacer lo que te dé la gana, mandarla a paseo, reírte en sus narices», mi segunda juventud quedó abreviada en un sinfín de tardes anacrónicas sobre un catre vencido, una habitación cargada de humo en la que flotaba permanentemente la censura social, el desengaño impersonal: «A ver cuándo te convences de que las ilusiones no tienen otro objeto que producir los desengaños. Ahora que estás a un paso de quedar formado a ver si aprendes a quedarte totalmente desengañado para siempre.» Pero tal vez porque la parte heroica de una vocación —que se resistía a ensuciarse— había quedado silenciada por la desgana invencible que me mantenía apartado de mis deberes de calamidad, acaso porque nunca tuve todo el valor necesario para no hacer nada, acaso porque durante veinte años de tardes en blanco había forjado en el techo un programa demasiado rico para abordarlo de una vez, o acaso porque nunca logré llegar a ser lo bastante fuerte (a pesar del conocimiento la voluntad vacila) para hacer una conducta de mi desdén, alimentada cada mañana por la visión de mi tía en bata, lo cierto es que cuando acabé la carrera me puse a trabajar.

Por fortuna, mi trabajo no era totalmente honrado. Me busqué un empleo con un constructor de viviendas, hombre no demasiado limpio. Además de construir de tarde en tarde alguna vivienda chapucera, nuestra actividad estaba dominada por las tribulaciones del negocio: desde la compra de la autoridad judicial hasta la venta descarada, cuando las cosas se ponían feas, de todos los materiales impagados, e incluso las patatas y el carbón de un economato vecino que no debía guardar demasiada relación con nuestra firma. Semejante trabajo —además de ahorrarme el horror y la vergüenza que me producían las firmas respetables— tenía la ventaja de una remuneración total, aquellas contadas veces (yo no viví ninguna) que había dinero en caja.

La única persona capaz de sacarme de aquel caos de indiferencia, terquedad y... pobreza fue Vicente: nunca tenía nada pensado, lo inventó todo. Con la misma alegría con que huíamos una madrugada hacia Soria a la salida de un urinario, para refrescarse en la soledad de una venta del ardor de una huérfana, salimos para París. El pretexto fue lo de menos. Meses después, viéndole caminar de noche, desmemoriado y perplejo bajo la lluvia y las luces caóticas y azuladas del Reeper, llegué al convencimiento de que entonces, como siempre, habíamos sido empujados por una necesidad acuciante de pasión. El día que, en una estación del absurdo más inmemorable que su propio nombre y más angosta en el recuerdo que su desnuda sala de espera, comprendimos que era inútil seguir buscándola, decidimos volver a casa.

Para aquellas personas que lo tienen (y aún deben ser muchas) debe amanecer un día —réplica de aquel que la insatisfacción lo lanzó a conocer mundo— en que el pasado familiar manda: mandan las piedras de un ayer severamente construido, las sombras y esquinas del rincón que pacificó la furiosa niñez, los árboles y los setos que desaparecieron para siempre y la gruta marginal de las meriendas soleadas donde terminaron, un día, los cuentos labriegos, para engendrar, confuso, el primer deseo de misterio; las cajas delicadas, los dormitorios prohibidos (con aroma a laca), los encajes amarillentos sobre el piano que (las teclas más amarillentas que si fumara dos paquetes diarios de tabaco negro) había materializado el aura fugitiva de Chopin en todas las agitadas mudanzas de la familia, las torturadas y garabateadas páginas de aquellos cuentos infantiles deshojados por los rincones y donde reposa el significado de las palabras..., sin duda amanece un día en que (los nombres que la muerte hizo sonoros repitiéndose entre los árboles, las ramas húmedas y las tardes doradas) emerge el pasado en un momento de incertidumbre para exorcizar el tiempo maligno y sórdido y volver a traer la serenidad, ridiculizando y desbaratando la frágil y estéril, quimérica e insatisfecha condición de un presente torturado y andarín, eternamente absorto en el vuelo de una mosca en torno a una tulipa verde.

Ella tenía (y me acuerdo con horror) un pasado levantino. De todas las personas que, durante todo aquel tiempo, por una razón u otra, la seguíamos por doquier creo que yo era el único que se daba cuenta de la gravedad de la situación. Poco a poco me he ido convenciendo de que todo lo que le ocurre a uno en la vida, por encima de los treinta años, tiene solamente un carácter honorífico; todo lo que antes de los treinta se ha dejado de hacer se resuelve luego en un clima tal de prudencia y sabiduría que a duras penas se turba el ánimo. Pero cuando se ha logrado alcanzar ese límite primero y más razonable de la prudencia, cuando se ha educado el ánimo a despachar con diligencia los perjuicios del día anterior, cuando en todo momento se mantiene la voluntad aparejada para gozar de un humor y un gusto perdurable, el ansia de aventura del hombre avisado pasa entonces por ese momento único en que puede ser felizmente fecundado por el aguijón de una levantina. El primer hechizo tiene un síndrome claro: yo lo veía, apurando la bebida con prudencia en casa de Vera, tumbado en un sofá con las piernas por encima de un brazo, haciendo girar despacio un vaso alto y recogiendo reflejos de una lámpara holandesa: un primer desprecio al pasado seguido de la inmediata aspiración a la seriedad; un no sé qué, una mezcla de trascendencia, estupefacción, predestinación y sumisión depositando en la cara del escogido un precipitado de seriedad. «Luego —pensaba yo— será el laconismo, toda la combustión interna dedicada a la producción de ternura e intimidad en menoscabo de las virtudes sociales, la libertad civil.»

Cuando llegamos a París unos meses después lo último en lo que yo pensaba era en aquella joven —con una mezcla considerable de turbulencia meridional y alpina— en torno a la cual habíamos prolongado aquellas veladas de verano.

—¿Y cómo andas de dinero? —me preguntó de súbito, dando vueltas distraídamente al pisapapeles, una muestra de mármol artificial.

—¡Oh..., oh..., oh, qué pregunta! —me puse a pasear por el despacho, moviendo los brazos con gestos generosos y comprensivos—. ¡Qué pregunta!

—Ahora debes ganar mucho.

—Un disparate. Un verdadero disparate. Algunas veces pienso si no será inmoral ganar esas cantidades.

—¿Cuánto ganas?

—¡Qué sé yo! No es posible saberlo. Comprende: no es una cosa fija, ni mucho menos. El dinero entra a emboladas...

—¿Cuánto tienes?

—Una fortuna, créeme. Una verdadera fortuna, si se tiene en cuenta mi juventud; realmente empecé hace poco.

—¿Cuánto?

—No insistas, Vicente, no lo sé; tendría que llamar al Banco, revisar los libros, ver la cotización. En fin, no lo sé. Si es eso lo que te preocupa, te diré que todavía no tengo tanto como tú. Aunque de aquí a pocos años..., no sé.

—¿Te vienes conmigo a París?

—¿A París? ¿A qué? ¿Para qué?

—Para dejar esto.

—¿El qué?

—Esos papeles, esa mesa, esa máquina, ese señor que está en el despacho de al lado con el sombrero puesto. Dejar todo esto.

—No puedo.

—No me dirás que el trabajo te lo impide.

—El trabajo es lo de menos. El dinero...

—Tienes toda tu vida para seguir amasando tu fortuna. Hasta ahora no has visto nada. Luego, cada día te será más difícil a medida que te vayas haciendo un hombre de provecho. Tres meses nada más y volverás nuevo, Juan.

—¿Tres meses? Pero ¿tú crees que yo puedo andar por ahí suelto tres meses gastando dinero?

—¿Qué dinero puedes disponer para el viaje?

Me volví cara a la pared para contar. Luego, asomándome a la ventana y mirando las chimeneas de la casa de enfrente, tuve que confesar:

—Unas mil setecientas pesetas.

—¿Eso es todo lo que tienes?

—Eso es todo.

—Pero tú eres una calamidad.

—También contaría con la liquidación de este mes. Pero no creo que me la paguen. Tenía más, pero me he hecho un traje.

—Eres un pobre hombre, una verdadera calamidad. Contigo no se puede hacer nada. Adiós.

—Vicente, sé razonable. Me he tenido que hacer un traje que me ha costado dos mil pesetas. El mes que viene...

—Adiós.

—Espera, hombre; sé razonable.

No podía serlo; su familia tenía una fortuna tan seria como reservada; gente tranquila y serena, poseedora de bienes raíces y propietarios de media provincia, ostentadores de un poder tan tradicionalmente admitido que jamás se preocuparon de manifestarlo. No eran industriales, ni comerciantes, ni negociantes, ni demostraban otra actividad que el ejercicio y el disfrute de un cierto civismo objetivo; eran simplemente ricos, gente tan entonada e inmutable que ni siquiera la guerra civil —pasando como un huracán por los lindes de sus fincas— fue suficiente para alterarlos; que las mañanas de sol paseaban por el Retiro para recoger a sus hijos a la hora del almuerzo. Eran gente que decía «almuerzo». Tenían también un coche, un viejo Lanchester negro y charolado, tan serio como para pasear reliquias de santo; un chófer, Miguel, tan prudente y abotonado que aún sería capaz de excitar los instintos de los viejos terroristas. El padre de Vicente era magistrado en activo: su madre, «mujer más virtuosa y discreta sólo se hubiera encontrado en un epitafio» [1]; tenía también Vicente una hermana, un tanto difuminada por la devoción, que fácilmente hubiera multiplicado su interés si la hubieran permitido, a ratos, olvidarse del puesto que ocupaba en la sociedad. Aparte de no hablar, había algo en aquella mujer definitivamente inconcluso: una falta de calor en sus rasgos, un parecido frustrado y que en ningún momento llegaba a cuajarse con una actriz de películas medievales. Algunas veces, en mis primeros años de escuela, Vicente me obligó a acompañarlos al almuerzo; luego, con mucha discreción y empujados por el sentir unánime de la familia, no pudimos librarnos de acompañar a la hermana silenciosa y no persuasiva a las fiestas de sus antiguas amigas; fiestas convencionales, donde se prodigaba el vino dulce y los «sandwiches» de queso por los salones recogidos, utilizados de manera periódica como rampas de lanzamiento de toda la inocencia filistina de nuestra juventud. Difícilmente podía yo imaginar por aquel entonces que llegaría un día en que aquella estampa familiar, tan perfilada, se pusiese a vacilar como la película que sale del carrete y gira a una velocidad errónea, las figuras no desencajadas pero temblonas, el propio magistrado convirtiéndose en un borrón instantáneamente ceceante. Cuando el así llamado inconformismo de Vicente, propagándose desde los salones recogidos, empezó a cobrar importancia el viejo magistrado no supo o no pudo adoptar otra actitud que la de cabeza señera, recta y no tan estupefacta como ignorante, tan incapaz de comprender la trayectoria de su hijo como un toro la de una mariposa.

Pero lo cierto es que un buen día nos fuimos a París. Yo no sé si fue incluso desde casa de Vera, saliendo una madrugada a trompicones. Yo no sé por qué en todas las casas donde se daban fiestas había mueble-bar, que se iluminaba al

---

[1] ¿Tennyson?

abrirse multiplicando engañosamente en sus espejos un cierto número de botellas intactas que siempre se consideraban excluidas del consumo de la fiesta. Cuantas veces tuvimos que acompañar a su hermana, nos quedamos Vicente y yo hundidos en los sofás de cuero que esa gente —no sé por qué— acostumbra tener junto al mueble-bar. Allí acudía también un viejo abogado, hombre hablador y con cierta afición a la truculencia, que, a mi entender, debía haber estado manifiestamente enamorado de ella antes de la guerra; un crítico que la acompañaba, apoyaba y sancionaba en sus campañas y mucha gente diversa, de paso entre Europa y América, que ella había conocido en el extranjero y que, obedeciendo al frío entusiasmo de la cultura, acostumbraba a visitarla. Ella fue la primera que me dijo que no me preocupara por el dinero, licenciándome una entrega que el propio Vicente se avino a adelantar. Me parece, cualquiera que fuere la farsa, que el dinero salió todo de él, limitándose ella (y el abogado) a persuadirle y avalarme.

Lo cierto es que si aquella misma madrugada, al salir de su casa y tomar un taxi desvencijado, no salimos para París fue porque, desgraciadamente, hay un tiempo fluido que enlaza y separa todos los sucesos. Lo que pasa en ese tiempo nadie lo sabe: ni se recuerda ni se prevé. Yo pasé de aquella velada en casa de Vera a una habitación sórdida de un hotel miserable cerca de la puerta de Vanves. Tumbado en la cama apenas podía reconocer la relación —de tiempo o de lo que fuera— que podían guardar aquellas estanterías de mi cuarto, llenas de latas vacías, pinceles secos, gomas podridas y alguna bomba de bicicleta con las conversaciones que habíamos oído en casa de Vera, con toda la travesía por Europa envuelto en un pijama ridículo, los discursos en inglés y, lo que parecía más grave, aquella cabellera color mate que parecía haber empezado a girar en casa de Vera para, como en las películas de los archiduques, salir por un ventanal hacia la galería, atravesar el parque girando y recorrer media Europa hechizando a un puñado de mendigos. Ese tiempo, yo creo, no existe, ni siquiera es una impostura, ni siquiera el líquido neutro donde se disuelve el ácido amoroso, el viaje a Europa, para rebajar su potencia; no es nada. Nada.

Pero estábamos en el momento en que decidimos salir. Habíamos hecho todos los esfuerzos imaginables para encender la chimenea de Vera; apenas logramos otra cosa que prender unas astillas y atufar la habitación con un humo agrio cuando, con el vuelo de unas cenizas de papel, cortando la narración, el tiempo falso se hincha y nos lleva al apartamento de París. Apenas encontré otra diferencia que la mota de ceniza sobre su bigote lacio, el sillón del abogado vacío y el vacío a nuestra espalda, mucho más incómodo, de aquel sinnúmero de enamorados que, sin prestar la atención a la narración, abandonaron la casa. Ella era divorciada —de un noble italiano, creo que me dijo—, «atrozmente sacudida por el Destino». Pero cuando volví a entrar con un vaso de noche en cada mano (y por eso recuerdo que volvía a ser de noche, tras un nuevo ardid de un tiempo más tornadizo y zafio que un caricato) tenía la cabeza echada hacia atrás, los ojos cerrados y la boca ligeramente entreabierta en actitud de degustar todo el sufrimiento que era capaz de soportar. Había leído el periódico —que me tendió hasta el otro lado del sofá— y había comprendido que *todo* podía considerarse terminado. Aún recuerdo cómo su mirada, al caer sobre una página interior, subió hasta el techo y quedó allí clavada durante el resto de la noche, con la boca entreabierta, como si hubiera leído el anuncio de su próxima ejecución.

Sí, allí estamos los tres en el sofá prolongando una conversación en la que Vera se negaba a entrar. Allí está, un poco apretado en el centro, con sus ojos saltones y el pelo prematuramente blanco coronando paradoxalmente una cabeza mestiza, evocando las desventuras de su padre, un hombre de una vez. El vive retirado, ajeno a la política, tratando de sacar con su esfuerzo una pequeña hacienda donde fundar una familia y una nueva paz. Pero cuando los realistas queman el establo y se llevan todo el ganado su padre se echa al monte, aun cuando su madre (muy pequeña de estatura y muy hábil con la rueca de lino) arrastra el segundo embarazo. Vuelve al cabo de una semana llevando de la rienda tres caballos realistas con monturas y arneses. Luego es un día que comprende que mejor que meter el arado en una tierra sedienta y maligna, mejor para la hacienda y para la conciencia moral —sin olvidar una infancia europea estrictamente religiosa— resulta, de cuando en cuando, matar un realista al paso. Y otro día necesita la colaboración de su hijo y un indígena vecino para ampliar un establo donde cobijar treinta monturas, todas con sillas azules.

—Un hombre de una vez.

—De ésos que ya no existen. Eran terribles. Había que verlos en su salsa, en camiseta y con los tirantes colgando de los hombros; aquellas cabezas leonadas con gesto altivo avizorando el horizonte. Y eran terribles. Pero ellos no lo sabían.

—Mi padre no era así.

—¿Cómo era su padre?

—¡Ah, no lo sé! Pero seguro que no era así. Así debía ser un tío mío, llamado Ricardo por mi tía. Murió de un cólico. Debía andar el pobre en camiseta todo el día. Esa generación salió así.

—Mi padre era diferente.

—Mi tío también tenía mucho pecho, un bigote borgoñón y era un poco legionario. Es imposible saber la cantidad de moros que debió matar aquel hombre.

—Mi padre no mató ningún moro. No es gran cosa matar moros. El destino de mi padre —y hablaba con veneración—, a partir de aquel momento, no pudo ser más desgraciado: una serie interminable de golpes de la fortuna que habían de conducirle a la ruina más negra.

Yo no sabía si la casa de Vera había viajado con nosotros. Allí estábamos los tres, o los cuatro, sentados en el sofá frente a un grabado de caza, satisfechos al menos de que una conversación tropical nos permitiese mantenernos aparte de aquel complicado adulterio. Luego supe que tampoco era la casa de ellos, sino del industrial mejicano (o lo que fuese) que la había amado durante los cinco días de la travesía. El otro era un marido ineficaz, de origen italiano, perlado, delgado y maduro, que sabía sostener sus maneras y su aparente ignorancia de la situación sentado en una silla alta mientras nosotros, a medida que se hundía la noche, nos íbamos hundiendo en el sofá, siguiendo la galopada de aquel padre único. Recuerdo que algunas noches me sacaron de allí y me llevaron al hotel donde debía hospedarme. En ese momento, repito, las cosas se mezclan tenebrosamente no sé si con el único objeto de hacer más patente nuestra propia vergüenza: se mezcla el marido, vestido con afectación de un gales gris y juegos granates de corbatas, calcetines y pañuelos, sosteniendo el vaso con indiferencia, con la señora Mermillon, repasando libros de contabilidad sobre el pupitre de la recepción, y con el señor Charles, al que conocí en una panadería. Era un hotel del distrito 14 que Vicente ya conocía de otras veces. Era un hotel malo, pero grato; el portal se abría de noche con un timbre de eructo, y un ventanuco que comunicaba la alcoba de los propietarios con el primer rellano de la escalera les permitía observar la entrada de los clientes sin abandonar su lecho legítimo. Aquella visión tan fugaz de la legitimidad, además de una llamada a la conciencia, era —aunque Vicente paraba muy poco en el hotel— un estímulo a la aventura. Al parecer, nuestro hotel era el único de todo el distrito que ponía ciertos reparos a la introducción de ciertas visitas a ciertas horas. Nuestra dirección —me dijo el señor Charles comiéndose su barra y mirando a las ventanas de enfrente con pesadumbre— consistía en aquel matrimonio encaramado en su lecho-observatorio, que, sin cumplir los cuarenta, había pasado a la gerencia del establecimiento por defunción consecutiva de los padres de ella. Y un joven de gafas —intelectual «voluntariamente pervertido», como él mismo decía— que vendía o intentaba vender libros viejos y objetos de arte de papel mascado en un pequeño tugurio de la acera de enfrente, añadía que se trataba de «gente de principios, no crea usted. Ella fue una de las chicas más deseables del catorce, con su pequeña fortuna y unos abuelos veteranos de la Comuna. Ahora lee mucho; él es un animal, un mal nacido, ya se habrá usted apercibido». Aunque no tan radicalmente, yo de algo me había dado cuenta; a pesar de llegar siempre tarde y podrido de sueño, nunca dejaba de echarla un vistazo; por desgracia o por ventura, el lado de ella era el que daba al ventanuco, y puedo asegurar que no leía cualquier cosa, no; leía siempre libros forrados, que, por el desplazamiento, bien podían ser enciclopedias; tenía un pelo negro del mediodía, que se soltaba para dormir, y, fuera que mi llamada tardía despertaba en ella ansias inexpresables o fuera que el tomazo apoyado en la boca del estómago desplazaba el volumen del pecho por encima de las páginas eruditas, lo cierto es que emergía con tal ímpetu que no hacía sino producir mucho mal al viajero solitario. Algunas noches, aunque no puedo ni mucho menos recordarlas y creo incluso que hablo de referencias, me parece que intenté el diálogo desde el rellano; no tardaba en encenderse la otra lámpara.

No sé muy bien lo que pasó a partir de aquella primera semana. Como tenía mucho sueño atrasado y como empezaron a menudear las veladas fuera de casa y los fines de semana en el campo en el círculo del americano, dejé de frecuentar su casa. Una de las últimas noches tuve la sensación de que se había producido un cruce de mujeres. A las gentes como Vicente les ocurre con frecuencia equivocarse de mujer algunas noches de lluvia, cuando la visibilidad es difícil con el goteo interminable de barbarie educada y los brillos de las espaldas desnudas junto a las lámparas bajas de luz polvorienta. Yo creo que era la primera vez que ella, mezcla de tres razas (levantina una) y con un matrimonio a sus espaldas, se sentaba con nosotros para disimular su cansancio en nuestra serie ridícula de propósitos sobre la sociedad del porvenir...

«...de noche salíamos a robar caballos. Yo tenía entonces no más de dieciséis años. Mi padre, Joel, el mulato y yo. Mi padre y el mulato los seguían por el día, porque eran los que vendían a los americanos y mi padre decía que eso era devolver a nuestra tierra lo que estaban robando los políticos. Salíamos al ponerse el sol, siempre hacia el Norte, hacia la raya de Nuevo León, y descansábamos al día siguiente en cualquier lugar del río Salado. A la noche siguiente soltábamos los perros y nos despojábamos de toda la ropa. Es difícil hacerse cargo del viento que corre por aquellas tierras. Mi padre decía que a veces habían llegado a las calles de Monterrey, empujados a lo largo de todos los llanos, los diarios americanos con una sola fecha de retraso. Y mi padre y el mulato si sabían algo era de vientos. Cuando daba de cara sabían dónde estaban los caballos a más de quince kilómetros de distancia, y sabían también hacia qué lado tenían vueltas las narices. Había que enterrar la ropa bajo tierra, porque la ropa para un caballo es lo que más huele de este mundo. Había que meterse luego en el río y nos fregábamos con barro hasta que salíamos oliendo como lombrices. Entonces mi padre nos daba un vaso de aguardiente, decía unas oraciones, nos bendecía a todos menos a Joel y salíamos trotando al pelo. Joel era el mamporrero, y como mi padre conocía el efecto del viento en los caballos sabía dónde dejar las yeguas y sabía el momento, sin necesidad de ningún silbido, en que había que enmorrarlas y volver al río. Joel era guapo y buen mozo, como mi padre, y el único que le aguantaba el pulso. Se untaba de grasa el cabello y relucía como un negro, y más de una noche, corriendo entre las cercas, lo tomaron por un sátiro, atrancando las puertas de los dormitorios y descuidando las cuadras. Yo creo que también había sido rival de mi padre en alguna correría nocturna y por eso mi padre le había hecho mamporrero y decía que no importaba que una coz le quitase un día media cara, porque era un presumido. Así, mientras mi padre aguantaba las yeguas y nosotros abríamos las cuadras Joel hacía que los animales se liberasen a sus instintos naturales antes que seguir la mano delincuente de un cuatrero endomingado.»

Yo recuerdo muy bien su peinado, esa postrer y más perfecta floración que, unida a un aura de catarro permanente, acentuaba más los síntomas de la decepción: era un pelo de color castaño oscuro y muy mate, apenas sin otro brillo que la voluta final por debajo de la oreja; un pelo negro, denso, más inquietante y tenebroso que una laguna de montaña al que yo, distraídamente, intentaba aproximarme mientras resonaban las galopadas nocturnas, los ladridos de los perros, el cruce del río Salado por los jinetes desnudos y la vuelta al hogar a la madrugada a tiempo para desayunarse migas fritas en el calor del establo. No sé cuánto tiempo me pasé aproximándome a aquel pelo, no tanto en aquel sofá como en la cama del hotel, repasando sin memoria las latas de pintura y dejando consumir las horas en una bomba vieja de bicicleta; en los departamentos de tercera, haciendo confidencias a un viajero sentimental, que, al menos, sabía consolarme en el más puro estilo parlamentario, y mirando los papeles pintados y los pájaros japoneses decapitados por los boquetes, donde asomaba el revoco, y muy cerca del despertar, años después, cuando su cara, a los golpes de la virtud y la avaricia, se iba afilando para cruzar el pasillo en sombras —se diría— sin necesidad de andar sobre las zapatillas, ¿cómo iba a explicarle al espectro de mi tía que en gran parte se debía al olor propio de un pelo sin brillo que había vislumbrado meses atrás?

«¿Qué haces todavía ahí? ¿Por qué no te levantas, calamidad?» Creo recordar que una de las últimas veces obligué al señor Charles a acompañarme. Luego le faltó tiempo para echármelo en cara, porque salió, me llegó a confesar, enfermo. La había rodeado en el extremo del sofá y a cada nueva cabalgada nos echábamos por detrás de su espalda un pellizco, tratando de llegar al pelo...

«...y entre seguir los rastros y organizar la caza lo cierto es que tanto mi padre como el mulato se pasaron dos años no pisando la casa para otra cosa que para el desayuno triunfal entre las cabezas capturadas... Pero, ¡ay!, un día mi madre, la pobre, empezó a tener miedo; un día (ustedes me perdonarán si les digo que el miedo, señores, arrastra el daño; podemos servirnos otros vasos) que llegamos a casa con seis cabezas y dos mulas, una mañana que podía ser de septiembre; encontramos la casa vacía, el huerto arruinado, los establos desiertos, la habitación de mi madre..., las sábanas todavía calientes hechas jirones por los suelos, sus ropas colgando por los cajones abiertos... Mi padre lo comprendió en seguida; él mismo nos sirvió el desayuno, recogió en cuatro alforjas lo que consideraba de valor, y aquella mañana, arrastrando las monturas, salimos a buscarla hacia el Oeste. Ustedes no se hacen cargo lo que fue aquello. Casi echamos un año en recorrer los llanos;

atravesamos de parte a parte todo el Estado de Coahuila, para entrar en Durango, donde mi padre no era conocido. Mi padre conservaba las sábanas y algún traje carmesí que llevaba echado sobre el borrén y que, de tanto en tanto, mientras miraba las montañas, se echaba a las narices para reavivar en ellas el olor de mi madre desaparecida. Hacíamos noche en los vados, y mientras Joel y yo dormíamos mi padre y el mulato, cada uno con un traje o una enagua, subían a los altos y olían el viento y auscultaban la tierra, porque, como decía mi padre, mi madre no era mujer que se podía estar quieta en ninguna parte. Cuando llegábamos a la quinta hacíamos lo mismo que con los caballos: la espiábamos de día y al caer la noche mi padre y Joel se despojaban las ropas y la asaltaban desnudos mientras el mulato y yo les cubríamos la entrada...»

A duras penas podíamos encontrar el hotel a una hora que ni el señor Charles ni yo sabíamos resolver de otra forma que con inconexas confidencias, o con la lectura de Dumas, que más de una vez intentamos, en tono declamatorio, en el rellano de la escalera y ante el ventanuco de la propietaria. Porque ella, eso sí, era recia, galicana hasta la medula, y... jansenista, hubiera dicho si en lugar del señor Charles me hubiera acompañado el propio Verlaine, cargado de vino hasta las cejas. Para ser más francesa se ponía a limpiar por la mañana con un aspirador eléctrico vestida con un jersey negro ceñido y abierto de cuello y tocada de la tradicional cinta de seda negra de la que colgaba la pequeña cruz de oro. Habíamos ensayado con ella casi todos los estados del alma; el desfallecimiento nocturno y la reprimida pasión tras la última callejera apelación a una razón inexistente en los cafés y los mostradores de madrugada; yo había alcanzado hasta la envidia taciturna (bajo el dominó color gris de moro) que me impelía a detenerme en el último peldaño, la mano sobre el pomo bruñido, sin querer mirarla, pero sí tratando de distraerla con mi absorta presencia contemplando mi desordenado interior. No dio resultado nada; era una mujer de principios, con una conciencia muy clara del dominio de sí misma y la responsabilidad social adquirida a través de una herencia burguesa y confirmada por medio de una lectura organizada. Todos los que antes de cumplir los treinta años nos atrevimos a arrimarnos a ese linde desde donde se vislumbra la aventura —sin decidirnos a cruzarlo— tropezamos con aquella mujer: recia y blanca, no demasiado alta, ceñida de carnes, morena y un poco aceitada, y en cuyas manos —para mayor inri— no estaba ni mucho menos encomendada la fidelidad del matrimonio, injustamente fletado por un marido terco y romo, incapaz de resistir el primer empellón. Las pocas veces que entraba conmigo Vicente ni siquiera la miraba. «Perfecto imbécil —le había dicho—, qué ganas tendrás, qué mosca española te habrá picado para andar por esos mundos buscando mentiras escuálidas cuando el mismo Platón duerme en tu casa.» Cuando las cosas —no sé por qué razón— comenzaron a complicarse, buscando en el aire un pretexto tuvimos que organizar una pequeña fiesta, coincidiendo con una cierta fecha del verano: no sé si el 14 de julio, el 10 de agosto o la Virgen del Pilar. Me atrevo a creer que por haberlo organizado él se trataba de la fiesta de la Raza.

Había estado durmiendo casi todo el tiempo. Tenía tanto sueño atrasado que desde el momento en que pisé París por vez primera me había decidido a recuperarlo para aprovechar los días siguientes con más calma. Aunque el resultado no pudo ser más triste, estaba de cualquier modo resuelto a no dejarme llevar por el frenesí del viajero y malgastar mis mejores días en un montón de tarjetas postales. Hasta entonces había tenido confianza en Vicente; el resultado no pudo ser más anacrónico. Cayó en mis manos el libro de Dumas y durante cuatro días no abandoné el hotel más que para acompañar al señor Charles a comprar pan y vino de Argelia, y tratar de recitar nuestros versos en el rellano de la escalera. Tenía una habitación del primer piso, que daba a la calle; muy alta de techo, con una desvencijada antesala flanqueada por dos columnas de fundición, decorada con viejos papeles pintados y provista toda ella de una estantería donde quedaban viejos botes de pinturas, piñones de bicicleta y botellas vacías; había también, tras unas cortinas harapientas, un sillón «recamier» desfondado, donde el buen hombre se tumbaba a beber vino y leerme, del otro lado de la cortina, algunos capítulos del mago, antes de dormir. Como fuera que comenzase nuestra buena amistad lo cierto es que a los cuatro días de convivencia nos tratábamos no sólo de usted, sino de señor. Era un hombre holgazán y pedigüeño, pero educado.

—Y bien —le dije al cuarto día—, creo que ya es hora de conocer París.

—En tal caso, señor, tendrá usted la bondad de excusarme.

—No faltaba más. Espero que no se sentirá usted obligado a acompañarme. No creo, por otra parte, que le interese en absoluto.

—En efecto. Interés, ninguno. Pena, mucha. Pero usted puede irse tranquilo. Sin duda, ha venido usted a eso, y el que yo pensara de otra manera ha sido, justo es reconocerlo, una lamentable equivocación. A mis años, señor, hay mucho que aprender todavía. Por otra parte, de la misma forma que es mi deber reconocer (y no abrigue usted duda acerca de la educación recibida al respecto) las atenciones de usted, creo que estaría fuera de lugar llevar el agradecimiento a ese extremo exagerado que tanto usted como yo, no dudo al afirmarlo, repugnamos.

—Me tranquiliza usted. Y debo confesarle, a mi vez, qué cerca me encuentro de lamentar mi decisión.

—No, no lo haga usted. Será mejor para los dos. Un último trago, eso es todo. Adiós.

—Créame que lo siento. Lo siento de verdad.

—Lo comprendo, lo comprendo —se había ido; había cerrado la puerta con tal delicadeza (ese último y traicionero clic de un picaporte vencido por la pesadumbre para ocultar los sollozos) que me sentí avergonzado y no pude salir en un par de días más.

Una noche, en un momento de percepción entre dos sueños profundos, comprendí que nos habíamos equivocado y que quien debía haber salido era yo. Pero era tarde para remediarlo. Por fortuna volví a verle unos pocos días más tarde, asomando con picardía la cabeza por entre las cortinas raídas para espiar mi sueño: a las seis de la tarde, cuando el sueño se prolonga en una continua agridulce sucesión de reproches sobre el empleo del tiempo; a las siete, vencido por el peso de la fatalidad vespertina, cuando la voluntad se resigna a no servir a más señora que a la cama; a las nueve y media, cuando el último y definitivo crepitar de las brasas de una actividad agonizante, confundiéndose con el parpadeo de los letreros luminosos, es capaz de desvelar el sueño de los cruzados caídos delante de Jericó; a todas horas entró, los carrillos hinchados, la mirada burlona, una compuesta sonrisa de candor para tratar de superar la falta de intimidad. Qué sé yo la cantidad de gente que al cabo de poco tiempo era capaz de alojar aquella habitación. Sobre todo a partir del momento en que, por una razón que desconozco, dejamos de ir al apartamento del mejicano. Yo le había hablado al señor Charles del «whisky» y del pelo, y al punto quiso conocerlos. Pero cuanto más cerca estábamos de él, cuando, sintiendo tan próximo en torno a nosotros el zumbido de las noches en los llanos, cargadas de venganza, deseos y hombres desnudos, tratábamos de abismarnos para siempre en aquel terrible y estupefaciente remolino de color epiceno junto a la oreja pequeña

«Estamos en el momento en que mi padre y Joel, armados de pistolas y desnudos, irrumpen precipitadamente en el dormitorio principal de la quinta. Imagínenlo, señores...»

tratando de llegar a aquel mechón en forma de cuerno naciendo en la sien y, tras rodear la oreja, acabando en un punto que casi tocaba el lóbulo con un punto brillante, quieto y sereno, donde quería converger toda la dramatizada sucesión de alucinantes tardes galopando desde la adolescencia hasta el departamento tapizado, y el despertar de mil mañanas hambrientas preconizando en el compás de los pasos por el pasillo de la tía embrujada el horror y el desprecio de una edad miserable, todo el insatisfecho apetito de una juventud premonitoria tratando de calmar su inextinguible acidez con la pequeña píldora color cera y un punto de brillo como todo adorno

«...más que el miedo, la sorpresa. Cuando en la claridad que entra a través de la mosquitera ven acercarse al hombre terrible imagino que ella se esconde bajo las sábanas. Y que el hombre (e imagino también que en la mayoría de los casos debía tratarse de matrimonios muy dispares en la edad) intenta por un momento pedir auxilio, pero es pronto reducido a su condición más vergonzosa con un cañón colocado en su entrecejo. Y mientras Joel apunta y vigila mi padre enciende un candil, se acerca a la cabecera, levanta las sábanas y dice: «Sal de ahí, perdida.» Pero cuando se apercibe de su error la arroja de nuevo en su cama, con un gesto de desprecio. Furioso, perplejo, recorre la habitación rugiendo como un poseído, abre los armarios, lanza los vestidos por el aire hasta que, tratando de encontrar la explicación, encuentra una enagua en la que olfatea afanosamente. «Ustedes las mujeres son todas...», dice, abrumado de dolor. Y poniendo su manaza sobre el hombro del viejo marido le aconseja que la deje y abandona la casa decepcionado para unirse a nosotros y seguir cabalgando toda la noche. Al cabo de unos meses la locura en aumento de mi padre le lleva a las proximidades de Torreón. Una noche, algo raro sucede. Tal vez es la desesperación, el desengaño definitivo o solamente la fatiga, el deseo de probar una cama después de dos años de dormir al raso. El marido y Joel esperan a la puerta y cuando a la mañana siguiente se abre la puerta mi padre ya no es el hombre incorruptible y temido, sino el Adán avergonzado, escondiéndose de la voz en las alturas. Cuando Joel intenta entrar él se vuelve:

—Imbécil, tráeme los pantalones. ¿No ves que estoy desnudo?

Y allá atrás, enmarcada en una melena suelta, una cara pequeña y temerosa, pero agradecida. Salimos de allí; en cabeza va mi padre, en silencio; el último va Joel, también en silencio. Al cabo de un mes, con aspecto cada vez más taciturno, habían asaltado más de doce quintas sin ningún resultado positivo. Al correr de aquel año la fama de mi padre se fue extendiendo por todo el estado de Durango y la alegría, en parte, volvió a renacer. Ya no era necesario hacer la guardia ni cubrirles la salida. Mi padre y Joel se desnudaban en las cuadras y entraban en la casa llamando a la puerta principal.

Al mulato y a mí nos metían en la cocina y nos daban una sopa caliente. Luego, cuando el concierto en el piso de arriba se iba haciendo más fuerte, el mulato subía también y yo me quedaba solo; a veces el viejo hacendado venía a hacerme compañía; se sentaba a mi lado, mirando el techo y acariciando mi cabeza repetía toda la noche: «Dios mío, Dios mío.» Al cabo de un tiempo cambió hasta la cara de mi padre. Pronto se hizo viejo, y no se hizo cínico, por fortuna, porque su naturaleza era demasiado noble, porque tuvo siempre a bien dilapidar su fortuna sin mirar a su provecho. Pronto empezó a echar de menos el riesgo y la aventura, el asombro en los dormitorios en penumbra cuando entraba incontenible con el cuerpo aceitado. Huimos hacia otras tierras, hacia el Sur, donde no era conocido. Recorrimos de nuevo el país; entramos hasta en los lupanares de la capital; volvimos hacia el Norte, hacia Nuevo León. Un día —mi padre había llevado tan lejos su misión—, un día... entramos en nuestro viejo hogar. Todo estaba intacto: en la cocina, junto al establo, ardía el fuego y se freía una sartén de migas...»
surgía, tras un pequeño giro insolente, la nariz recta (como la costa calabresa en la neblina mañanera) y un ojo aguamarino que miraba un instante con tal indiferencia que todo el Sinaí se derrumbaba sobre mí y encima de los escombros se posaba mi tía Juana, apoyada en su futuro bastón de anciana.

En realidad, no estoy seguro de que se tratara de una fiesta. Lo cierto es que algunas tardes —y repito que las noches en casa del americano pertenecían al pasado, un pasado en el que se había esfumado, sin que nadie supiera cómo, aquella cabellera meridional y toda la cohorte de maridos compuestos, pero fatalizados, y escotes abiertos— un grupo de gente, por lo general vestida de negro, encabezada por el propio Vicente irrumpía en nuestra habitación para interrumpir la lectura. Recuerdo aquella noche que había que buscar café y servicio a todo trance. La señora Mermillon nos sugirió que tal vez nos lo pudieran suministrar todo Chez Lucas, en la misma acera y un poco más abajo. El señor Mermillon opuso una serie de reparos, su amistad con Lucas y «la correcta condición de todos sus clientes que en cualquier momento era preciso considerar», tal vez para evitar los comentarios de una calle que cada ventana cobijaba y ocultaba un envidioso. El señor Charles, discretamente apoyado en el umbral y sosteniendo a un lado el viejo sombrero manchado de grasa, con una elocuencia tranquila, discreta y razonablemente apasionada, que muy bien podía quedar registrada en los anales de los martes literarios (el propio Boileau, con la nariz como un dátil y una melena de piña tropical, y toda su cara con la civil, libertina y frutera hinchazón académica, enmarcado en un óvalo de funeral dorado, le contemplaba complacido) supo convencer a la señora Mermillon para adquirir en nuestro nombre, y a nuestro cargo, media docena de tazas de café, de porcelana (?) negra que la señora Durand, su amiga, tuvo a bien venderle a un precio exagerado, «si se consideraba exclusivamente su valor real»..., «aunque usted me permitirá decirle que no tengo por qué admitir otra valoración que la real...» «No vale la pena entrar en detalles. Ahí están las tazas. Es lo que usted quería. Y no olvidemos el gesto de la señora Mermillon, y no lo que ahora se ha dado en llamar un acto gratuito», dijo con suficiencia, riéndose para sí mismo. Estaba embriagado con su triunfo; caminaba por la calle Losserand delante de mí y a un paso vivo, la barbilla levantada y deteniéndose cada veinte pasos para sacudirse el polvo de las rodillas, con un gesto de gladiador. Hasta después que adquirimos el café molido Chez Lucas, fue a contárselo al artista, que nos recibió sin ningún entusiasmo:

—Todo eso es un disparate. La señora Mermillon pisa muy bien la tierra. La conozco desde niña. Créame, un disparate.

—¿Quién es ese señor que asoma en su ventana?

—No lo sé. Es que usted, como de costumbre, se deja arrastrar por su entusiasmo. Aunque su aspecto le desmienta, tiene usted un alma infantil.

—Ciertamente, así lo confieso yo también. ¿Y qué mejor?, me pregunto...

—Pero ¿es que ella le ha dejado entender algo...?

—Nada en absoluto. Pero él se cree con derecho a adivinar sus sentimientos.

—Nada de eso. Experiencia, psicología. O muy mal ando yo de conocimientos de la naturaleza para suponer en ella una ausencia total de pasiones o...

—¿Aun las más bajas? El otro día nos dijo usted que aún guardaba una botella para una ocasión como ésta.

—Qué gran verdad. Pero ¿quién es ese señor de la ventana?

—Volvamos a la realidad, caballeros. En primer lugar, es necesario sacarle de allí.

—¿De un hotel? Usted me asombra; no comprendo la necesidad de añadir nuevas dificultades.

—¿Y pretende usted asaltarla en su propia fortaleza? No ve usted que a ello se opone su descrédito.

—¿Descrédito? Nada de descrédito. Ya veo que no me conoce. Yo pico más alto, caballero, mucho más alto, infinitamente más. Le asombraría a usted, no me cabe ninguna duda, conocer la altura de mis ambiciones.

—¿No saben ustedes quién es ese señor que asoma por la ventana?

—No he querido molestarle. Créame. No soy un intruso. No me tome por un hombre indiscreto.

—Esto está bueno de verdad. ¿Qué dice, señor Charles?

—Desde luego. Y ahora verá usted quién soy yo.

—Alto. La idea partió de mí.

—Debe usted respetar la edad.

—De ninguna manera. Es más, creo que lo último que he de respetar en esta vida es una edad tan... lasciva.

—¿No va usted demasiado lejos, joven? Yo también tengo mis principios...

—Principios humildes, supongo.

—Humildes, sí, como todos. ¿Acaso procede usted de una buena familia?

—Buena, buena, no; pasable.

—¿Quién será ese señor que no deja de mirarnos?

—Es mi amigo Vicente. Un plomo. Un hombre inmensamente rico.

—Pues nos está buscando; no hay tiempo que perder.

—No salga, no salga. Usted no salga, no sabe lo que hay allí. Unas señoritas que al segundo vaso alargan los labios, cierran los ojos, se bajan los tirantes y se meten en un rincón a pedir café. No hay derecho.

—Ahora hace gestos. Está gritando.

—Vamos a ocultarnos. ¿Usted lee a Dumas, señor Charles?

—Todas las noches, señor; todas las noches. ¿Cómo cree usted que podría tolerar esta porquería de vida?

—Entonces usted sabe lo que quiero decir. Huyamos.

—Sí. Huyamos.

—¿Y las tazas?

—¿Qué tazas?

—Huyamos, huyamos todos.

—¿Están ustedes borrachos?

Luego volvió la serenidad, la compostura. Estábamos los tres sentados en el sillón central del tresillo de mimbre, tras haber cruzado la calle agazapados; la señora Mermillon se prestó a hacer el café y el señor Mermillon, el cuervo, dejó la lectura del vespertino para indagar el contenido del paquete: además del café, unas frutas endulzadas, unas galletas que parecían coral y una extraña pieza triangular veteada como un ágata que al saber que se trataba de extracto de hígado dulce americano, el señor Charles pasó al señor Mermillon con un gesto de impaciencia, «se lo advertí, allá usted con su conciencia». Yo estaba ya debajo de la mesa cuando advertí detrás al señor Charles:

—¿Está usted loco? ¿Pretende usted acompañarme a todas partes?

—A la cocina nada más. El señor... (lamento haber olvidado su nombre) obsequiará al señor Mermillon.

—De ninguna manera. No quiero cómplices ni testigos.

—Vamos, vamos, no sea niño. El tiempo apremia.

—He dicho que no. No me obligue usted a emplear la violencia.

—De nada le serviría. Soy fuerte, señor; muy fuerte.

—En fin, usted será el primero en lamentarlo.

Se había hecho de noche y empezaba a caer una lluvia fina. Nos volvimos a meter bajo la mesa cuando el señor Mermillon volvió a pasar, con el hígado en un plato, en dirección a la cocina. De un salto el señor Charles alcanzó la pared y apagó la luz.

—Usted será el primer perjudicado. Un fracaso a sus años puede ser fatal.

—Sepa usted que esa mujer sólo tiene ojos para mí.

—Calle usted, hombre. Usted abre la boca sólo para decir groserías.

—Algo de cierto hay en eso. Entremos. ¿Qué hacemos aquí?

Cuando el señor Mermillon volvió dando voces, yo, que conocía la distribución del pasillo, me escabullí por él dejando al señor Charles en su rincón. A través del ventanuco y del hueco entreabierto de la puerta del dormitorio vi cómo la señora Mermillon pasaba el café por la manga y distribuía los dulces en cinco platos. Cuando empezó a cortar el extracto de hígado gelatinoso algo gelatinoso y horrendo de mi memoria infantil hizo saltar en mi interior toda la insuficiente banalidad de una tarde acidulada de pasión. Allí quedó mi cabeza como la copa atónita caída en el mantel tras haber estallado inexplicablemente su peana de cristal; toda la obsesión de un aburrimiento infantil, temporalmente olvidado al friso de los quince años para reaparecer a la vuelta de los treinta, cuando un cierto grado de conocimiento (no lo suficiente para alejar la desolación, pero sí lo bastante para borrar aquella irascible soberbia ante la medicina gelatinosa) resulta ser el único precio alcanzado, tras muchos años de inútil puja, en la enajenación de todos los misterios y las furias de la edad ninfa, que se deja sentir en los crepúsculos y las manchas de vino, en el momento de sentarse en la cama y mirarse los pies. Nos sentamos en el arranque de la escalera.

—Huyamos —dijo, apurando el vaso.

—¿Cómo vamos a huir? Usted no está en su sano juicio.

—Usted tampoco.
—Tampoco. ¿De qué se trata?
—Se trata... de la señora Mermillon.
—¿Qué la pasa?
—Que está ahí.
—¿Y bien?
—La señora Mermillon.
—¿Y qué?

El artista quedó pensativo, sobre el primer peldaño, balanceándose sobre la punta de los zapatos y mirando el vaso vacío:

—Bien mirado, a mí tampoco me importa. ¿Por qué no nos vamos?

—No; a mí sí me importa. Ya está bien de hipocresía.

Era un dormitorio que olía a colchas rojas, con aterciopelados flecos y dragones deshilados, decorados con fotografías familiares, un paisaje suizo y una gran cama con cuatro bolas en las esquinas, un armario de luna, donde me quedé contemplando la ingrata brevedad de mis días [1]. Entreabrí la puerta al tiempo de ver cómo el señor Charles, cruzando el «comptoir», entraba en la cocina; aún veía detrás de él las piernas cruzadas del señor Mermillon sentado en un sillón de mimbre y sosteniendo el plato sobre las rodillas. Me parece que llegué a dormirme un rato, sentado junto a la jamba del dormitorio a oscuras, y cuando desperté, ella se estaba cambiando el vestido detrás de la luna abierta; se puso unos zapatos altos, un vestido negro que dejaba al aire los hombros y salió con una sonrisa significativa, alargando el paso para no pisarme, al tiempo que yo encogía las piernas. En la cocina encendieron la luz eléctrica y debajo de la puerta surgió la raya de luz amarilla que había de terminar con la incertidumbre de una larga, ambigua y cerrada tarde prolongada en la penumbra; esa línea de luz capaz de metamorfosear los susurros intermedios y los

[1] Aunque nunca he llegado a explicármelo, no hay duda de que fue el señor Charles quien me ayudó a encaramarme por el ventanuco.

ruidos de goznes y la monotonía de la lluvia en la recortada, lenta y detallada conversación de dos sirvientas en un cuarto de costura. El otro vino por el ventanuco para decirme que «el señor Charles jugaba ya con su cordón». El señor Charles siempre había dicho que había que empezar por el cuello, la mejor playa para iniciar el desembarco, dentro de una cierta legalidad, y avanzar ulteriormente bien hacia la península de la cabeza o bien hasta el mismo continente. Casi abrimos la puerta de par en par y vimos que, efectivamente, el cuello podía darse por perdido: por encima de sus hombros —que se estaba perfumando con un dedo que mojaba en el frasco— (y por encima también de un cepillo) los ojos pardos y brillantes del señor Charles surgían como un par de boyas en la galerna para volver a hundirse y aspirar el aroma en el nacimiento del cuello.

—Yo creo que va a besarla.

—No, no puede ser.

—Ya lo verá. En el hombro. De un momento a otro.

—No puede ser. Sería intolerable.

—Ya lo creo que es. Mire.

—Es inaudito. Qué diablo de hombre. Quién lo iba a pensar.

—Es un demonio. Mire, otra vez.

—Y con más ardor. Yo no sé si debemos tolerarlo.

—Qué remedio nos cabe. Ahora en la boca.

—Con verdadera pasión. ¿Y ella? ¿Qué me dice usted de ella?

—Se ha entregado.

—¿Y el marido? Me parece que hemos ido demasiado lejos.

—No lo crea. Estamos en el principio. Diga usted mejor que ha de llegar un día en que estas cosas sean tan necesarias como la agricultura.

—En absoluto. Yo creo justamente lo contrario. El mundo no va por ese camino. Este es el final de una época, amigo mío.

—Nada de eso. He ahí los precursores. Día llegará en que

una mirada intensa será suficiente para desbaratar todo el orden local.

—De tanta maldición, ¿qué hacen ahora?

La señora Mermillon, la expresión un poco atontada —sacudiéndose la melena y destapándose el oído como si acabara de salir del agua —nos miraba con indiferencia cuando el señor Charles le susurraba al oído algo que no podíamos oír y, de tanto en tanto, en la comisura de su boca asomaba una sonrisa inquieta y juguetona, como el rabo de una lagartija debajo de una piedra.

—Me parece que se burlan de nosotros.

—Mientras quede un poco de vino.

—Venga, venga. Me parece que lo necesito. ¿Dónde ha dejado usted la otra botella?

—Fíjese, fíjese ahora. No hay derecho.

—¿No se irá usted a poner triste?

—Lo soy por naturaleza.

—Bueno, esto se ha acabado.

—¿Y qué hacemos nosotros aquí?

—Estamos —dijo el artista, pervertido por sí mismo, echando la cabeza hacia atrás y quitándome la botella, sentado en el suelo a oscuras—, estamos como el día que vinimos al mundo: tratando de convertir la desgracia en falsedad.

Primero no lo oí, como me ocurría siempre. Luego, dentro, ello mismo fue repitiéndose por un conducto oculto (la puerta se había entreabierto introduciendo una cierta claridad en todo aquel ámbito donde ahora se extendía un antiguo, pero instantáneo, silencio acentuado por unos ruidos de loza en una habitación próxima y el sonido de una gota cayendo en la pila trayendo el olor de la madera fregada con agua y lejía precipitando esa antinómica materialización del vacío por las puertas abiertas y las paredes cadavéricas, esa definitiva claudicación ante el vacío que toda habitación parece llevar consigo cuando más allá de las puertas entreabiertas alguien ha olvidado una luz encendida y entre la fortaleza donde irrumpen no triunfalmente las cenizas, el silencio y el horror y las tinieblas intemporales con sus harapientos estandartes envueltos en una gasa de materializada y fatal temporalidad) para emerger, unos días después, tumbado en la cama y tratando de encontrar el dibujo de los boquetes en los papeles pintados. Se había ido sin decir nada; se levantó como un perro aburrido y se fue; cuánto tiempo permanecí allí, rodeado del silencio del rellano y el olor de la madera fregada..., no lo sé.

Luego seguí oyéndolo sin necesidad de comprenderlo. En mi habitación, y por la tarde, y por las calles del 14, y por la estación de Mercancías, y durante todo aquel viaje estéril por el Norte de Europa, atravesando la llanura irrompible a través de los cristales empañados, toda la Westphalia y Hannover y creo que hasta el mismo Mecklenburgo; en todas las estaciones húmedas, sentados el inglés y yo sobre las maletas mientras Vicente y la mujer buscaban «nuestro» alojamiento; en todas las habitaciones precarias con olor a colchas rojas y los departamentos de tercera tratando de encontrar el pretexto de un viaje que el inglés se resistía a abandonar: «...Pues ello es menester atribuirlo a la firme asistencia de Dios Nuestro Señor y, en consecuencia, a vuestra perseverante dirección y prudente sabiduría, honorables Lores y Comunes de Inglaterra...» Bebía como un demonio, tenía una cara infantil y sonrosada como si hubiera salido de la ilustración de uno de sus libros juveniles: sin haberla mirado más de un par de veces, sin haber cambiado con ella ni con Vicente más de cuatro palabras, se comprendía que al primer estímulo por parte de ellos habría abandonado su tierra, su familia y su carrera para seguirlos hasta el fin del mundo.

Una tarde de lluvia y de cielo pesado les encontré en mi habitación, casi a oscuras, echados en el sillón de espaldas a la ventana.

—No enciendas, Juan.

—¿Qué pasa? ¿Qué haces ahí?

—No pasa nada. ¿De dónde vienes?

—Qué sé yo. De ningún sitio.

—Hace tres días te fuiste a buscar café.

—Está ahí abajo. Lo tiene la señora Mermillon.

Me senté al borde de la cama. Apenas distinguía otra cosa que la claridad del espejo, la sombra de ellos contra la ventana (un cierto clima de tregua o desfallecimiento) y la lumbre del cigarrillo, que se repetía en el cristal iluminando en parte una frente.

—¿Tienes ganas de volver?

—¿De volver adónde?

—A casa. A España.

—No lo sé. No sé qué hago aquí; me parece que estoy perdiendo el tiempo.

—Yo no pienso volver.

Ella le susurró unas palabras, incorporándose algo; estaba tumbada encima de él con las piernas por encima de un brazo del sillón y la cabeza sobre el otro.

—Qué tontería. Eso lo dices ahora porque te encuentras bien.

Ella volvió a susurrarle algo al oído y le dio un beso.

—No pienso volver, Juan.

—No seas imbécil, no digas tonterías. No me queda salud para oír esas cosas.

—Tú también deberías quedarte.

—Vamos a tomar un vaso de vino. Hace tiempo que no lo hacemos juntos.

Empecé a sacar la botella y a lavar el único vaso. Yo me llené una de las tazas de café. Ella se había levantado, estirándose la falda y el jersey; al pasar junto al espejo se atusó la melena sin encender la luz y salió de la habitación diciendo algo en francés.

—Es una mujer extraordinaria.

—Qué duda cabe.

—Tenemos que ayudarla.

—¿A qué?

—Está pasándolo muy mal.

—A ver si logra dormir un poco.

Vicente bebió en silencio; se había arrodillado sobre el sillón y miraba la calle escondido detrás de la cortina.

—Esto es serio, Juan —dijo, volviendo a su postura, sosteniendo el vaso en alto y mirando a través de él.

Ella entró de nuevo; yo me levanté de la cama; durante unos instantes estuvo mirando con mucha atención la calle, ocultándose detrás de la cortina. Era casi de noche. Luego se sentó en el brazo del sillón y estuvieron contemplándose abrazados, y susurrando palabrejas durante un largo rato.

—Bueno, yo me voy.

—Espera; ¿te veré luego?

—No lo sé.

—Tendrás que dormir en mi cuarto. La señora Mermillon te ha preparado una cama.

—¿Y por qué?

—Ya te lo explicaré más tarde.

A mí todo aquello me importaba poco. O si me importaba algo, lo cierto es que me enteraba de muy poco. El nuevo cuarto estaba forrado con papeles pintados con dibujos orientales. Me metí en la cama y no sé lo que dormí, me parece que un breve rato; allí estaba de nuevo la cabellera morena y mate, con olor propio, la voluta naciendo en la sien y rodeando la oreja encajada en un desgarrón blanco cerúleo del papel, girando, borrándose y reapareciendo en blanco y negro hasta producir el golpeteo insistente de una vena bajo la nuca, como la válvula quemada de un motor viejo: era —me lo dijo ella misma, completamente cerúlea, volviendo un poco la cara y dejando asomar la nariz puntiaguda con cierto ademán de desdén— lo que tú decías, el final de una edad; y a costa de dejarte exánime en ese lecho durante un par de semanas sin otro quehacer que contemplar tu propia descomposición traspasada a una pared desportillada, te diré que viniste aquí, forzando un viaje lleno de esperanzas, a fin de alcanzar el definitivo desengaño. El dibujo repetido y enlazado representaba una complicada trenza de pájaros orientales y hojas exóticas verdes y negras cruzando como una espina de pez una trenza de girasoles. Te encontraste con el pelo, el bucle y la oreja y ello te servirá para hacer de ti un hombre desengañado, un hombre de una vez. Tiene razón tu amigo el artista: os engañáis en la desgracia. Porque cuando se emprende un viaje nada debe esperarse si se ha alcanzado ese límite deseable de la incredulidad que ha de coartar el nacimiento de nuevas ilusiones. Ya no eres joven. Ya no eres joven. Ya es hora de que te des cuenta que cuanto más exijas de un futuro engañoso, cuanto más pretendas disfrutar de él, aparejándolo con las gracias de una imaginación zalamera y adúltera, más duro y contradictorio será el destino que te aguarda. Porque tu destino no será otra cosa que lo que tu imaginación no incluye no porque lo desdeñe ni porque lo olvida, sino porque su misión es justamente dejar de incluirlo hasta el día que te hayan convertido en otro hombre sinsabores como éste. Al cabo de unos días, Vicente entró a despertarme, sacudiéndome fuera de la cama:

—Ven, ven en seguida —me arrastró a la otra habitación, donde estaba su amiga, oculta detrás de la persiana, haciéndoles gestos afirmativos con una expresión muy grave.

Yo estaba tan dormido que ni siquiera la saludé. Vicente me arrastró detrás de la persiana:

—¿Ves ese hombre de gabardina parado en la acera de enfrente?

—¿Quién?

—Cuidado, hombre. Que no te vea.

—¿Ese hombre de gabardina y gafas? ¿Qué le pasa?

—Cuando yo te diga, sales a la ventana y te quedas mirándole durante un rato. Venga.

—Allá voy.

Estuve un rato mirándole. Era un hombre normal, con gabardina, boina negra y gafas, que ni siquiera se molestó, a pesar de mirarle como un búho durante unos minutos.

—Venga, métete ya. Ahora vas a salir a la calle. Procura pasar junto a él y mirarle a la cara despacio. Vete al Dupont, te compras un periódico y te estás tomando un café hasta las... hasta las siete. ¿Entendido? Si te sigue vente al hotel dando un rodeo.

Así lo hice; yo estaba bien despierto, qué demonio. El hombre estaba apoyado en el hueco enrejado de un banco, fumando y mirando a la cornisa de enfrente tan distraídamente que ni siquiera me devolvió la mirada. Me leí todo el periódico en el Dupont, me tomé dos cafés, no apareció nadie y a las siete estaba de vuelta en el hotel.

La habitación estaba vacía; se había llevado todo, e incluso mis trastos los habían metido, con cierto orden, en mi maleta. La señora Mermillon me dijo que Vicente había pagado la cuenta y se había ido en un taxi con la señorita sin decir más.

—Dígame: ¿ha abonado también mi cuenta?

—Ah, no, señor.

—¿Y no le ha dicho dónde ha ido?

—Ah, no, señor. Se fue con la señorita.

—Yo también me tendré que ir, señora Mermillon... Ahora que estamos solos... y tranquilos, ¿por qué no sube usted a ayudarme a hacer la maleta? Tomaremos también un poco de café.

—Voy a avisar a mi marido.

—No se moleste, señora Mermillon. Buenas tardes.

No sabía qué hacer. Anduve dos días desorientado. Me metía en la cama y al cuarto de hora volvía a salir a beber un poco de vino; volvía a mi cuarto a ver si encontraba algún recado de él y acababa siempre en la cama, no tanto para dormir como tratando de sumirme en delirios semiorientales o en discretas y alentadoras evocaciones de mi primera juventud y última madurez de mi tía, asociada a un pájaro verde tropical con un boquete en la cresta.

Unos días más tarde me sacaron de la cama porque un señor me llamaba al teléfono. Era Vicente; con voz tranquila y con arreglo a un plan bien estudiado me indicó todo lo que tenía que hacer: hacer la maleta, pagar al día siguiente la cuenta del hotel y presentarme, dispuesto a hacer un corto viaje, en determinado restaurante del distrito 9. Me señaló también, una por una, todas las seguridades y precauciones que debía guardar, a fin de no ser seguido desde el hotel al restaurante.

El restaurante era un local pequeño, con mesas alargadas y una sola mujer, que servía comidas a un promedio de 950 francos. Encontré a los dos en la última mesa, casi ocultos detrás de una percha. Metió mi maleta debajo de la mesa y no me preguntó ni lo que quería comer. Por primera vez veía yo a la joven a la luz del día. Llevaba gafas oscuras, hablaba muy bajo y se notaba que durante varios días había dejado de cuidarse la cara. Solamente nos dimos la mano.

—Pero ¿qué pasa?

—No pasa nada. No pasa absolutamente nada. ¿Entiendes?

—No, no lo entiendo.

—Pues lo tienes que entender.

—¿Te has metido en algún lío?

—¿Quieres hacer el favor de dejarnos tranquilos?

Allí mismo, cuando acabamos de comer, sin cambiar cuatro palabras, empezó la odisea. Primero salieron ellos, cogidos del brazo y arrimándose a las paredes como si cayera un chaparrón. A mí me tocó esperar hasta que desaparecieron en la esquina. Luego, correr a la esquina, arrastrando la maleta, vigilar las cuatro calles y cubrirles de nuevo. Atravesamos así media docena de manzanas hasta que con una breve carrera se metieron en un discreto hotel para turistas modestos. En una pequeña habitación interior de una sola cama, invadida por una profusión de combinaciones y peines y frascos de belleza y un cierto olor a crema cutánea mezclado con el de los zapatos femeninos colgados detrás de la puerta, parecían haberse refugiado de un mundo hostil que preparaba su ruina. Toda aquella tarde me la pasé en la habitación con ella —Vicente salió a arreglar determinados papeles y reservas—, tratando de fumar lo más posible para evitar el mareo que me producía el olor de las cremas. Se quitó las gafas: su cara no tenía nada que ver con la anterior. Al principio sólo advertí que era notablemente mayor que Vicente; luego comprendí que aquel solo hecho era suficiente para apercibirse de la gravedad del asunto, cualquiera que fuese. Tenía una cara expresiva, que cambiaba a su antojo, desde una actitud analítica y dura —mirándose los ojos y rizándose las pestañas, casi pegada al espejo— hasta la mirada de tierno interés, preguntándome si era la primera vez que estaba en París y quitándose el vestido para darse una ducha. Apenas hablamos, pero sabía jugar con sus ojos —parpadeando y reanimándose como una bombilla pueblerina en una noche de tormenta— para sostener un estado de conversación sin pronunciar una palabra. Se duchó, se secó, se perfumó, se hizo el repaso de la piel y se vistió —en menos de tres horas— como si yo no estuviera en la habitación. Al principio simulé dormir, luego pensé que eso no se veía todos los días y me quedé tumbado, cruzando las manos bajo la nuca, siguiendo con atención toda la faena. Cuando se estaba poniendo las medias la llamaron por teléfono y tuvo la discreción de cerrar la puerta —el teléfono estaba en el pasillo— para impedirme escuchar. Fue una conversación de una hora, lo menos. No sé qué pasó después. Cuando me desperté era bien entrada la noche, se oían unos silbidos lejanos y una luz rojiza subía del patio. Todavía la habitación seguía en desorden, había un cenicero lleno de colillas manchadas de rojo de labios. Aquello me gustó poco; en el patio no se veía más que alguna ventana alta iluminada, unas conversaciones en un piso bajo, tras las cortinas de otra ventana abierta. Escuché un rato; no entendí nada. No sabía qué hora podía ser, aunque se me figuraba que muy tarde por el silencio un poco cavernoso que salía del pasillo y del hueco de la escalera a oscuras. Aunque tenía bastante hambre me sentí invadido por tal sensación de fatalidad y desamparo que no encontré fuerzas para salir a buscar la cena y decidí, por una vez, tratar de dormir un rato.

Al mediodía siguiente me despertó la camarera con una llamada telefónica. Otra vez Vicente me citaba a comer en un sitio distinto, cerca de la rue Dunkerque. Era un bar para viajeros, pequeño y rápido, donde la gente entraba y salía cargada de paquetes y maletines para tomar sus «sandwiches» y sus cafés mirando al espejo (donde en un rincón, un tanto desmemoriados, pero sabiendo mantener un punto de animación, permanecen sentados bebiendo pernod desde que acabó la gran guerra un par de veteranos). Vicente parecía nervioso. Se levantó tres veces a llamar por teléfono; del bolsillo superior de la chaqueta sacaba una pequeña tira de papel arrugado, donde había escrita una dirección y un número con una letra muy grande. Mientras comí salió un par de veces a la calle, estuvo hablando con la mujer del mostrador, a la que, al fin, le entregó la nota escrita que ella colocó entre dos botellas de la estantería.

—No sé qué ha podido pasar.

—A lo mejor ha encontrado su hombre.

—¿Por qué no te vas a reír de tu madre? ¿Por qué no te largas de una vez y me dejas en paz?

—Mi madre, la pobre, tiene poco que ver en esto. Si me dijeras mi tía...

—¿Quieres tomarte eso de una vez?

Era una copa de coñac de 160 francos. Lo menos hacía tres días que no lo probaba.

—Si tienes tanta prisa, ¿por qué no vas pagando?

—Porque esta vez lo vas a hacer tú. Empiezo a cansarme de alimentar a un inútil.

—Está bien, está bien por esta vez —mis pobres francos salían del bolsillo de billete en billete—; recuérdame cuando volvamos a Madrid que te presente a mi tía Juana. Estoy seguro del flechazo.

—Te guardas tus gracias para otro momento, ¿entendido?

—Entendido. Dos mil ochocientos y pico francos. También te podías guardar las tuyas.

—Vamos, vamos.

Yo no sabía —ni me importaba— dónde diablos teníamos que ir. Nos metimos en un taxi y durante casi dos horas estuvimos dando vueltas por París (aunque bajo el efecto del coñac estaba decidido a dormitar, creo que por primera vez llegó a desvelarme el espectáculo de unas calles que hasta entonces me habían pasado inadvertidas), preguntando direcciones inútiles, haciendo averiguaciones absurdas, tratando de despertar en porteros escépticos un algo de interés en no sé qué. Volvimos a nuestro viejo hotel; bajé a saludar a la señora Mermillon, que —acaso porque aquella visita postrera la teñía de colores sombríos— me pareció mejor peinada y peor intencionada que nunca. Cuando cruzamos la rue des Thérmopyles y me volví a contemplarla por última vez —más ancha de caderas también— pensé que volverla a ver habría de contribuir a creer en una modesta, acaso incómoda, supervivencia. Luego continuamos por Emile Richard, rue Gassendi hacia el Boulevard Raspail. En una esquina Vicente se apeó; me dijo que estuviera a las ocho en el hotel, todo listo para salir.

Aquella misma noche nos encontramos los tres en la estación del Norte. Ella se había puesto un abrigo color canela, unos zapatos cerrados, unas gafas oscuras y llevaba el pelo echado hacia atrás atado en la nuca con un pañuelo de seda. Por primera vez me di cuenta que era de la misma estatura que Vicente, que miraba a todas partes nervioso y la llevaba del brazo. Ella parecía muy tranquila y reservada; se diría que no tenía ninguna necesidad de que nadie se desvelase por ella ni, mucho menos, intentase llevarla del brazo.

Por más que he intentado reconstruirlo jamás he logrado desentrañar el itinerario de nuestro viaje. En Alemania nos vimos aquejados de súbito por una falta de dinero y tuvimos que prolongar nuestra estancia en Hamburgo, esperando un envío de Madrid. Vivimos unos cuantos días en una pensión caótica, cerca de la calle Lincoln, que olía a colchas pardas y marabúes polvorientos y caprichosas y malogradas muñecas gitanas que parpadeaban todavía una demencia de preguerra por las ornamentadas repisas de un pasillo incongruente. Debieron ser días terribles y tormentosos para ellos, porque cada uno por su parte se dedicó con alguna frecuencia a pasear conmigo bajo la lluvia. Ella tenía un paso lento, inalterable, y no le importaba quedarse atrás; no le importaba comer patatas y dejar pasar las horas mirando las gabarras, escondida tras las gafas oscuras, las manos metidas en los bolsillos del abrigo canela, con el cinturón muy apretado y el pañuelo anudado en la nuca. Se me aparece ante mí (más tarde, días y kilómetros más adelante), tristemente sentado en el mismo banco y mientras las ratas corren por el borde del espigón para ocultarse en las escaleras del embarcadero, el último vendedor de un periódico anarquista. El último suscriptor desapareció a raíz de la guerra, pero la doctrina —ese vespertino afán de entendimiento bajo el signo de un mitigado coraje (o transustanciado en comprensiva dulzura)—, queda; bajo el cielo calizo, contemplando los remolcadores silenciosos o el torbellino de gaviotas gritonas en torno a un desperdicio en el agua negra, el viejo anarquista nos hablaba todavía de un próximo entendimiento universal; tenía una gabardina manchada de grasa, una barba de una semana, no llevaba corbata y se tapaba con una camisa de lana cruda anudada con una cuerda. Me acompañó muchos días (él sabía que ya no nos quedaba ni juventud ni fe y ella, sentada en el extremo del banco, cruzaba las piernas, oculta tras las gafas negras, con las manos en los bolsillos) por la misma razón que me empujaba a contemplar las estatuas —todas las estatuas de puritanos sin grandeza colocados en corro, toda la cohorte de Kingos cubiertos de malla en actitud de afrontar la independencia, o la efigie no humillada de Domela— o a terminar las tardes en los muelles, arrastrado por las obras piadosas, y los apostolados marineros, y los depósitos desiertos, y los barracones para comer patatas, mirando las gaviotas del Brook o del Osterok y adivinando en las estelas de los remolcadores, en las maromas cubiertas de vegetación y en el lento y acompasado sonido de los motores ralentizados de las barcazas una cierta proporción o una elemental sinceridad que en otras partes se me ocultaba, por esa única razón que, llegado el momento, me puede dominar sobre cualquier otra: sin saber para qué. Tiempo atrás, mucho tiempo atrás, me decidí un día a colgar de un clavo de la puerta de mi dormitorio una combinación de color rosa, con los bordes de encaje, que despedía un intenso aroma a perfume barato y que con mucho trabajo y tras muchos ruegos me había, finalmente, regalado una conocida mía de vida irregular. Cuando a la mañana siguiente mi tía vino a anunciarme la hora del despertar, empezó a aspirar, cerrando los ojos con tal vehemencia que las ventanas de la nariz se le subieron hasta los ojos y los lentes montaron sobre las cejas. Y creo que todavía seguiría aspirando (con pequeñas y continuas sacudidas del moño hasta extraer dos palmos de cuello) si yo mismo no la hubiera detenido con una explicación:

—Se trata de un recuerdo, tía. Es una prenda íntima de una amiga mía que se gana la vida ejerciendo la prostitución.

Fue su último portazo (yo estaba acabando la carrera), el más radical: recortada en el marco de la puerta empezó a girar como un maniquí, su barbilla dio aún tres sacudidas borbónicas hacia el techo, como si tratara de buscar el contrapeso con un moño excesivo. Más tarde vino mi madre (yo seguía en la cama), vio la prenda, la olió y, mirándome con pena, se retiró en silencio, cerrando la puerta sin violencia. Aquella misma tarde un tío mío —hombre acomodado— vino a tomar café expresamente comisionado para mantener conmigo, a puerta cerrada, una conversación decisiva. Si no hubo acuerdo no se debió a la dureza de mis condiciones: retiraría la combinación el día que desapareciera el retrato del buen Ricardo, el de los intestinos delicados, de la mesilla de noche de la tía. La paz se hizo sola: mi tía no volvió jamás a despertarme y yo, al cabo de una quincena, consideré prudente y político arriar para siempre la enseña rosa del ultraje.

Y, sin embargo, sentado junto al anarquista de corazón, comprendía que toda la epopeya de una juventud mediocre, pero insultante, se viene abajo en cuanto el hombre es capaz de engendrarse un momento de goce: allí estaban los «Heligoland», todos los «Fairplay» con sus chimeneas negras y sus formas rechonchas de enanos forzudos, los caparazones pintados de amarillo, baluartes y rodas protegidos de neumáticos, borras y lonas, como las manos de un boxeador. Había allí, entre el olor encepado de las adujas y el horizonte calizo que abrevia las tardes y resume el cielo a los granizos de las gaviotas histéricas, ese instante de sinceridad que una juventud desdeñosa podía haber estado buscando en vano durante treinta años de afectada indiferencia. Era un discípulo fiel, amado en otro tiempo; aún guardaba bajo el abrigo de aspecto judío media docena de ejemplares del semanario que meses atrás se había visto obligado a suspender por carencia total de fondos... Se llamaba el... «De Vrije Socialist»; el abono trimestral costaba 1,95 florines y había sido fundado por el buen Domela, ante cuya reverenciada estatua empezábamos a emborracharnos de comprensión, hombría, buena fe y deferencia a los viejos principios. Conservaba otro amigo con el que se escribía todos los meses, editor de «The Word», que últimamente se había visto obligado a aceptar un trabajo en una fábrica para poder sacar con semanal puntualidad el periódico hermano. Yo también, le dije con algo de vergüenza, había claudicado. Ella nos miraba de tarde en tarde, sin decir una palabra, pero sin extrañeza.

Cuando nos llegó el dinero salimos hacia Dinamarca, o por el contrario, de la leñosa Dinamarca volvimos de nuevo a Alemania, acompañados ya del inglés, ebrio de tristeza, que caminaba por el día con la mirada en el suelo y siempre en diagonal, y que sólo se atrevía a mirarla a la cara cuando la ayudaba a apearse del tren. Era tal la emoción que le producía bajar su maletín de belleza y sostener un instante su mano en el aire que a duras penas lográbamos salir de la estación tres horas después de haber descendido del tren, orando por los comedores iluminados y repitiendo con pesadumbre «...agradecerlo a vuestra sabia dirección e inalterable presencia de ánimo, honorables Lores y Comunes de Inglaterra. Mi discurso, por ello, más que un trofeo ha de ser un testimonio...» por el largo y desierto mostrador; fue al principio un viaje mustio, con un tiempo de perros; apenas pudimos hacer otra cosa, el inglés y yo, que tratar por todos los medios y bebidas de evitar el contagio con el mal humor que reinaba en aquella pareja. Viajaban siempre en otro compartimento, sentados junto a la ventana, mirando al techo y separados por la mesa repleta de cigarrillos, periódicos que no leían, cajas de chocolate y botellas de agua mineral. Me parece que viajaron todo el tiempo con las gafas puestas y las bocas un poco entreabiertas, como si acabaran de tragarse la primera espina del bacalao.

Hacia las últimas semanas de septiembre mejoró el tiempo y su estado de ánimo. Pasamos unos días tranquilos en una zona donde se recogía la manzana, una manzana pequeña y agria con la que aquella gente hacía una especie de agraz repugnante que a punto estuvo de acabar con nuestra salud. Se quitaron las gafas, hicimos algunos pequeños trayectos todos juntos; cuando llegaba la noche el inglés y yo nos retirábamos al aguardiente y ellos se acurrucaban en el mismo rincón. Las pequeñas tormentas surgían, más que en el tren, en las ciudades donde parábamos; en algunos hoteles en los que escaseaban las habitaciones en más de una ocasión tuvimos que dormir los tres juntos, porque ciertos días ella exigía una habitación para ella sola. Y hasta hubo noches también que no pudimos salir de la estación, con la ayuda retórica del inglés y su maleta de botellas. Una madrugada —estábamos pasando dos días en un pueblo llamado Celle o algo así— Vicente nos despertó muy temprano:

—¿Tú sabes si hay consulado en Hannover?

—¿Si hay qué?

—El día que tú sepas algo...

Tuvimos que salir precipitadamente para Hamburgo. La tormenta debió ser fuerte, porque ella salió con la cabeza altiva, anudándose el pañuelo y sacudiendo la barbilla. No sé qué diablos pasó con nuestras maletas, el caso es que tuve que meterme en el tren enfundado en una gabardina, tiritando como un gato recién nacido, apenas cubierto por la chaqueta de un pijama floreado y cerrado por el cuello, que Vicente me alargó en el último momento. En Hamburgo se casaron; celebramos un pequeño banquete, en una torre elevada sobre el puerto, al que tuve que asistir con la gabardina abotonada hasta la nuez porque las maletas habían quedado en consigna. Me compré una bufanda y salimos de luna de miel hacia el Oeste; a Vicente le ponía enfermo la idea de pasar su primera noche matrimonial en Hamburgo. Varios días después todavía seguíamos viajando entre Hamburgo y Coblenza, por el Palatinado, hacia la frontera francesa, sin otro sentido ni otro rumbo ni otro objeto que alargar todo lo posible aquel frenesí ferroviario y retrasar indefinidamente la llegada de la sibila que había de aparecer en la madrugada, en una cantina de cristales lechosos, para indicarnos la fecha de la vuelta. Nos refugiábamos en los muelles del río —que ella rara vez pisaba—, en la proximidad de las estaciones, entre los muros negros con olor acre y las vías abiertas hacia el caos, huyendo paradoxalmente de la tácita e inapelable sentencia de un destino —escrito en las flechas y en las tablas, en las horas escritas y las salas vacías y el aroma a aceite y hollín pulverizados— opuesto a un deseo desconocido.

Una noche —viajábamos ya con dirección a Francia— decidimos festejar un cercano adiós. Apenas pudimos pronunciar tres palabras —y regar el suelo de cerveza—, porque en el compartimento viajaba una persona más: un hombre de gabardina, con gafas oscuras y pelo moreno y brillante, atusado con fijador. Los tres viajaban en silencio, mirando el techo y resolviendo el largo compás con lectura de periódicos y revistas. Creo recordar que el inglés y yo nos habíamos cambiado las chaquetas y pretendimos divertirlos un rato. Qué demonio, volvimos a tumbarnos en nuestro compartimento para continuar el recitado:

—¿Conoce usted bien Antonio?

—Admirablemente.

—Adelante, sir. Estoy escuchándole.

—*This common body, like to a vagabond flag upon the stream, goes to and back, lackeying the varying tide, to rot itself with motion.*

—Eso es..., el final, el final.

—*To rot itself with motion.*

—Admirable, admirable. Muy propio. Adelante, sir.

Habíamos adquirido la costumbre de meternos mutuamente los dedos cuando nos cargábamos de verso. En medio de un recitado salimos precipitadamente —qué sé yo si serían las cuatro de la mañana—; yo me detuve en el extremo del corredor; cuando aparecí en la plataforma ella le estaba entregando un papel —semejante a un documento oficial con algunos sellos y pólizas, muy doblado y arrugado— que se guardó rápidamente en el bolsillo del abrigo al darse cuenta de mi presencia. Los dos se habían quitado las gafas; el otro me miraba con suficiencia: una cara torcida y chulesca, unas facciones grandes que despedían olor a loción y una frente pequeña y trapecial; en la mano tenía otros papeles, un poco de dinero, me parece, y un pasaporte. Volví al compartimento de Vicente sin saber qué decir.

—Esto...

—¿Dónde has dejado a tu amigo?

—Esto, Eugenio...

—No me llames Eugenio.

—¿Dónde has dejado a tu mujer?

Ella entró; me miró tranquilamente. En el espejo se estiró las cejas, se arregló el peinado y se puso las gafas. Luego entró el inglés, que se puso a dormir sobre mi hombro, y al cabo de una media hora entró el individuo de la gabardina, que se sentó junto a la puerta, fumando con afectación, golpeando el cigarrillo en un encendedor de oro y en el reloj de pulsera con la cadena plateada. Horas más tarde, cerca del amanecer —una línea color tiza morada bostezando detrás de granjas cerradas y luces somnolientas y filas de árboles— me desperté porque una botella vacía se me clavaba en los riñones. Vicente, pegado al cristal, miraba el paisaje. El otro miraba al techo y ella parecía dormir.

—Dámela.

—No abras —le dije—, nos podemos morir todos.

Vicente se subió al asiento. El otro le miró con indiferencia y aplastó el cigarrillo en el cenicero de la puerta, recostándose en la orejera y frotándose los ojos. Entonces, desde la altura de la rejilla, Vicente le estrelló la botella en la cabeza; sus gafas saltaron hasta el asiento opuesto y el hombre —atónito y peinado, toda una rodaja de pelo sujeto con gomina se levantó como una tecla salpicada de sangre— se desplomó contra el respaldo, con los ojos abiertos, deslizándose lentamente hasta que la nariz tropezó con un botón de la tapicería, volviendo su cabeza, que se abatió, girada en el asiento, como el muñeco de un ventrílocuo al final de la representación.

Bajamos de distintos vagones; el inglés seguía dormido, apoyado en mi hombro. Aquella misma noche desaparecía para siempre. Ella volvió hacia Alemania, a Colonia, donde nos debíamos reunir tres días después.

Durante tres días no hicimos otra cosa que dar la mayor vuelta ferroviaria posible para llegar a Colonia. Vicente no salió del hotel en toda la semana. Apenas probaba bocado; se pasaba el día tumbado en la cama, mirando la bombilla o mirando la calle a través de los visillos, sentado en un pequeño sillón de mimbre. Cada media hora bajaba en camisa a la conserjería a preguntar si había algún recado para él. Sin poder alejarme demasiado de su lado, refugiado en la vecindad de la estación, pensaba en mi próxima vuelta, pensaba (prescindiendo del fracaso) quién sabe si influido por esa indeterminación moral que un día se transforma en anhelo ferroviario, los silbidos lejanos y los nombres nocturnos y el silencio mercurial de las vías en la noche, si un día sería posible dejar de preguntarse por la clave de un porvenir que por fuerza había de estar en alguna parte.

Me tropecé con él en la escalera, acompañado de dos policías. Se había echado el abrigo sobre la camisa abierta, y, sin afeitar, sorbiendo en el aire un catarro inminente, cruzó ante mí sin volver la mirada.

La habitación había sido ordenada; había hecho las maletas dejándolas abiertas. Junto a una chaqueta vuelta por el forro y encajadas junto a la tapa había metido con cuidado aquella media docena de tazas de café con las que, una vez, quisimos demostrar la espontaneidad de una aventura insensata.

BAALBEC, UNA MANCHA

Uno

Cuando yo era niño mi madre nunca tuvo necesidad de invocar una recompensa para reducirme a su autoridad. Fui educado en una casa cuyo gobierno estaba en manos de mujeres, habitada casi exclusivamente por mujeres —la más joven era mi madre— que apenas salían al aire libre; para salir del círculo de costura yo no tenía más alternativa que refugiarme en la compañía huraña del viejo José, el criado, o pasear solitario por el jardín, tirando piedras a las ranas. Hasta los diez años apenas vi otros hombres —porque José empezaba a dejar de serlo— que los feligreses de la parroquia las mañanas de los domingos o los jueves por la tarde, media docena de veces al año, en ocasiones en que mi abuela ofrecía a sus vecinas y desmemoriadas amistades una velada de buen tono; el doctor Sebastián (o más bien el paraguas representativo del doctor Sebastián colgado del perchero que dejaba en el suelo su excrecencia de agua) y unos cuantos gitanos, también tres o cuatro veces al año.

Cuando, estando enferma, comprendió que se aproximaba el día de separarnos, mi madre me dijo algo que siempre, desde entonces, he tenido en consideración: «Prepárate en esta vida a no esperar nunca que tu virtud sea recompensada. No pienses nunca en ello; porque la virtud no necesita ni debe ser, en justicia, recompensada.»

Hasta aquellos momentos hubiera podido creer que mi madre no se había preocupado demasiado de mi educación.

Dentro de mis primeros años pareció vigilarme desde lejos, un tanto resignada a la evolución de un hijo que —en una casa de campo solitaria, rodeado de mujeres de cuellos estirados y rectitud de plomada— sólo con la ayuda sobrenatural podría haber sacado a relucir sentimientos rebeldes o retorcidos.

En realidad, si mi madre no tomó una parte muy activa en la formación de mi infancia fue porque —dejando aparte las dificultades económicas que obligaron a separarnos— se apercibió de que para bien o para mal las circunstancias en que había de desarrollarse eran más que suficientes para totalizar una educación que sólo por el carácter podía verse alterada, ya que no por otra educación de signo contrario. Muchas veces me sorprendió su mirada —en el gran comedor estilo imperio rural (el suelo se había vencido en el centro y los grandes aparadores y trincheros parecían vacilar medrosamente) o en el salón contiguo, donde se desarrollaban las veladas que mi abuela convocaba entre las cada día más escasas amistades, por un compromiso casi histórico contraído para la conservación de un mito— cruzando por entre la gente desde el otro extremo de la habitación, como si temiera adivinar en mi tímida actitud el producto de una educación que una disciplina intransigente estaba moldeando sin contar con ella. Creo que ahora lo comprendería si tuviera ocasión de volverla a ver, porque el brillo significativo donde reside el secreto se borró hace mucho tiempo, dejando como toda huella el deseo insatisfecho de volver con la imaginación para confirmar un sentimiento benevolente; más que la resignación, la disimulada capacidad de sacrificio que le hubo de permitir la enajenación de su haber más preciado, tras una capitulación sin condiciones; la renuncia (o el disimulo) de sus propias convicciones para no teñir de contradictorias sombras la interrogante niñez de un hijo único.

Mi niñez y adolescencia transcurrieron casi por completo en la casa que mi familia poseía en los alrededores de Región y a la que, andando el tiempo, hubo de retirarse a vivir todo el año por una serie de motivos inconfesables escondidos tras el pretexto de la edad de mi abuela y sus deseos de vida tranquila y retirada. La casa —San Quintín— era una hermosa y sólida edificación de tres plantas, de fábrica de ladrillo aparejada con sillares de granito. Su fachada principal daba a poniente y sobre una primera planta casi ciega corría un largo balcón con vistas sobre las terrazas de cultivo que descendían hacia Región, cuyas torres y cúpulas y macilentas columnas de humo contemplábamos por encima de los olmos; cuyo repique de campanas nos llegaba con acentos de pastoral resignación las tardes soleadas de octubre, para recordarnos nuestra irremisible soledad las mañanas sombrías de una húmeda y tardía primavera. Rodeada de grandes olmos y elevada sobre las terrazas de jardines italianos que mi abuela nunca se cuidó de reconstruir, la casa ocupaba uno de los vértices de una propiedad bastante extensa, cuatro quintas partes de la cual estaban constituidas por un monte bajo, con buenos pastos y bosques de alcornoques, desde las orillas del Torce hasta las estribaciones de la Sierra; la quinta, las vegas junto al río, eran unos bancales de regadío que producían casi la totalidad de la renta de la finca y que al correr los años e iniciarse el declive de la familia, mi abuela fue arrendando, hipotecando y malvendiendo sin demasiado conocimiento de sus hijos. En un pequeño collado, dominando la revuelta del Torce, estaba situada la casa, a la que se llegaba por un camino privado, señalado en la carretera de Macerta a Región a la altura del kilómetro nueve por dos pilonos de granito coronados por dos bolas, donde estaban grabadas —una en cada uno, con letra cursiva y pretenciosa— las iniciales de mi abuelo o del matrimonio, L. B.

La finca había sido adquirida toda ella mediante sucesivas adquisiciones que mi abuelo efectuó alrededor del 70, y la casa se edificó aprovechando, en parte, los muros de una antigua alquería y las ruinas de una pequeña ermita dedicada al santo, el año 1874, tal como estaba grabado con la misma letra cursiva en la clave del arco de la puerta principal.

Mi abuelo hizo su fortuna en ultramar, en muy pocos años. A los treinta y cuatro años estaba de vuelta a España, convertido en un hombre rico. Era oriundo del Sur, creo que de la provincia de Almería, y vino a Región cuando la construcción del ferrocarril de Macerta, donde trabajó de capataz a las órdenes de un tío de mi abuela o tal vez de su mismo padre (lo que con el tiempo pasó a constituir un secreto de casta). Debió ver o conocer a mi abuela y decidió casarse con ella rompiendo las diferencias en América, una solución que por aquel entonces el teatro de ideas había sugerido y puesto de moda. Recién cumplidos los veinte pasó primero a Francia, donde vivió unos meses viajando y comerciando por las ciudades del Sur, entre Grenoble, Marsella, Sette y Montpellier, asociado con un francés llamado Ducay, con cuya ayuda, y tras un juego de cartas —que había de pasar a la crónica familiar con caracteres mitológicos— debió dejar sin un franco a un comerciante de granos de Sette. En América, en Méjico y Cuba sobre todo, trabajaron los dos socios en las minas, montaron un negocio de ferretería y se dedicaron a desguazar barcos por un procedimiento algo corsario. Los últimos descendientes de los Hermanos de la Costa se dedicaban, a falta de otra ocupación más incitante, al pillaje de barcos de pequeño cabotaje entre Honduras y las Grandes Antillas, que se desmantelaban en alta mar o en algunas escondidas ensenadas del Golfo de Campeche y eran vendidos a mi abuelo, quien los desguazaba o transformaba. Cualquiera que fuese la verdad acerca de las leyendas que corrían sobre mi abuelo y Ducay, lo cierto es que en menos de diez años el hombre fraguó una fortuna que podía competir limpiamente con cualquiera de aquellas que, en la última década del siglo pasado, se asentaron en Región (quién sabe si empujados por la calidad de la leche, lo apartado del lugar o las quimeras de una nueva tierra prometida, pregonada entonces por el teatro de ideas) con el fin de erigir una ciudad modelo para una sociedad nueva. Empezó por comprar los terrenos de San Quintín, parcela tras parcela, siguiendo un orden anárquico, haciendo todos los esfuerzos imaginables para no levantar sospechas sobre el volumen de su fortuna y no despertar la codicia y desconfianza de los paisanos. Fue siguiéndolos uno a uno, aprovechando las enemistades y odios personales, haciéndose pasar, a veces, por un comerciante en granos que vendía muy barato a cambio de la adquisición de unos pocos predios; otras veces les vendía unas cántaras de vino, quejándose de su triste y humilde condición que a duras penas le permitía comprar un mal pedazo de tierra donde tener su casa y su familia; al cabo de dos años de trotar por la Sierra pudo reunir en el despacho del registrador una carpeta que contenía los títulos de propiedad de más de dos mil hectáreas.

Alquiló una casa en Región y construyó la de San Quintín a gusto suyo; hizo venir un jardinero levantino, trajo de Francia un buen número de muebles que su amigo Ducay le proporcionó a coste reducido; se hizo ropa en Savile Row y, con un brillante en el bolsillo del tamaño de una avellana, se presentó en casa del señor Servén a requerir la mano de su hija mayor, Blanca.

En aquella casa nacieron casi todos sus hijos, asistidos por el doctor Sebastián. Allí murió el viejo León, el año 1903; allí murió la abuela y tres de sus hijos. Aunque nací muy lejos, allí me crié yo y transcurrió casi toda mi infancia hasta los quince años, en que mi madre me internó en un pensionado para iniciar mis estudios; a los pocos meses tenía que volver con el tiempo justo para asistir a su entierro en la fosa familiar, a tiempo para entrar en el viejo salón de las veladas, lleno de gente enlutada y circunspecta que permanecía de pie por falta de sillas, en torno a un corro de señoras sentadas alrededor de mi abuela y mis tías; mi abuela se balanceaba lentamente en una mecedora, el chal sobre los hombros, y suspiraba profundamente, mirando al techo:

—Pasa, hijo, pasa. Ven a darme un beso.

Dos

Un día recibí una carta del nuevo propietario de San Quintín invitándome a visitarle y descansar unos días en la casa. El hombre solicitaba además mi ayuda para definir ciertos lindes cuyas referencias se habían perdido y nadie lograba recordar, así como para resolver algunos requerimientos de ciertos propietarios que estaban a punto de promover una demanda judicial. En ningún momento pasó por mi cabeza la idea de excusarme. Hacía tiempo que estaba pensando en algún pretexto para hacer aquel viaje, visitar la casa y la tumba de mi madre. Quería volver a ver Región, aunque estuviera deshabitada y agonizante, volver a pasear por el curso del Torce y bajo los olmos de San Quintín, volver a sentarme en la cerca, frente a la casa de Cordón, junto a los pilonos de la entrada que había cruzado por última vez... cuarenta años atrás. Tan sólo me aterraba y detenía la idea del viaje: era penoso llegar a Macerta en un tren sin comodidades ni calefacción, que en cuarenta años no había sido capaz de ahorrar ni una de las nueve horas de un viaje abrumador. Para un hombre de mi edad llegar a Región desde Macerta se había hecho imposible. No había ninguna línea regular ni coche de alquiler que se aviniese a adentrarse por aquella carretera. Se podía alquilar una tartana, avisando con una semana de anticipación al recadero de Región que por quince duros se decía dispuesta a hacer el viaje cuando no estaba cerrado el puerto. Pero, aun escribiendo al recadero, era rara la vez que la tartana se presentaba en Macerta a la hora convenida o a cualquier otra. El viaje se había hecho tan poco usual que muy rara vez el postillón podía dar crédito al aviso; si no era persona muy conocida para él (y las tales personas que no estaban descansando bajo dos metros de tierra en el cementerio de El Salvador, llevaban varios años paseando su delirante soledad por las cantinas abandonadas de la ribera del Torce) tenía que mandar adelantado la mitad del importe si verdaderamente quería que él —él y el viejo carro rechinante arrastrado por un mulo desconfiado y cínico, que debía saberse de memoria todas las leyendas de la tierra susurradas por las cunetas y las avalanchas traicioneras de un puerto hostil— se pusiera en camino. Pero desdichado aquel que intentase mandar los siete o diez duros que, con toda probabilidad, jamás habrían de alcanzar su destino. Hacía tiempo que en Región había desaparecido la oficina de Correos (que en vano se había mantenido abierta desde la guerra civil, quién sabe si tratando de hechizar la voluntad de un corresponsal anónimo para que volviera a despertar un soplo de interés por aquel pueblo) y no quedaba más sistema de comunicación que el antiguo teléfono del ferrocarril, que algunas noches (por el tiempo de la Pascua o en el aniversario de aquellas fiestas estivales que preludiaron toda la decadencia) descolgaban los aburridos ferroviarios de Macerta para oír silbidos, ayes y lamentaciones; historias cavernosas de fantasmas malheridos, y guardas vigilantes, y entrecortados disparos en la noche, y ronquidos de camionetas perdidas en una vereda de la Sierra, sin dejar huellas en la hierba ni rastro de sus ocupantes. Pero, aun llegando a suponer que un día el postillón lograra superar su incredulidad para ponerse en camino —un capote con esclavina, cortado por un sastre aragonés antes de la guerra del 14, una botella de castillaza en el bolsillo y la cara oculta tras un tapabocas italiano procedente del despojo de los soldados que murieron en la acción de Soceamos, y en los labios una canción rutera de la bella época—, es muy poco probable que pudiera llegar a Macerta si, siguiendo su costumbre y ateniéndose a los rigores de la amistad y el amor a la pequeña tierra, tenía que aprovechar el viaje para saludar al paso a los viejos amigos, borrachos de tristeza y aguardientes, desdentados y amnésicos, cubiertos de pieles blancas y perdidos por los rincones de la Sierra, los lugares amados de su juventud.

Cuando el nuevo propietario de San Quintín —un tal Ramón Huesca, o Ramón Fernández Huesca, un nombre nuevo para mí— se ofreció para recogerme en Macerta y trasladarnos en su coche hasta Región todas las reservas que oponía el reumatismo crónico fueron superadas por un estado de ánimo más propio para un examinando que para un viejo achacoso y egoísta. No tuve, pues, mejor cosa que hacer que dejar pasar las últimas ráfagas de un invierno excepcionalmente crudo y disponer las cosas para el viaje que iba a efectuar con la llegada del buen tiempo.

Tres

Era un día nublado de primavera en el que todo parecía limpio y transparente, y me figuré —estaba seguro de ello— que sin demasiado esfuerzo iba a ser capaz de mirar a través de la losa —como la adivina a través de la bola— para materializar, una vez más, el brillo húmedo de sus ojos en el fondo de las tinieblas. Pero mi primera visita fue inútil. La tumba estaba sucia, cubierta de tierra y hojarasca; una pasada tormenta que inundara parte del cementerio había dejado sobre la losa de mi familia casi dos palmos de barro endurecido, tallos podridos y ramajes arrastrados por las aguas. La losa de mi familia, como las de los héroes nacionales, estaba a ras de suelo.

El señor Huesca, tras llevarme en su coche, se había quedado discretamente a la puerta del cementerio. Pareció extrañarse de verme salir tan pronto.

—Está cubierta de barro— dije, echando el ramo en el asiento de atrás—; volveré mañana a limpiarla.

El señor Huesca era un hombre joven, de buenas maneras, que había hecho dinero con bastante rapidez con el curtido y la fabricación de pieles artificiales, negocio que, según me dijo, había sabido abandonar a su tiempo, a la llegada de los productos sintéticos.

—Tendremos que traer un par de palas, si hay tanto barro.

Había decidido dedicarse a granjero; estaba seguro de las grandes posibilidades que ofrecía Región y toda esa comarca que, «inexplicablemente, seguía olvidada y abandonada». Durante el camino de vuelta me fue hablando, muy por encima, de todos los proyectos que le rondaban la cabeza: primero una granja, una explotación agrícola que le permitiera vivir a él y a la gente que pensaba traer; luego..., no se atrevía a decirlo. A pesar de su aplomo era evidente que toda aquella inversión, y la aventura que traía consigo, no dejaba de producirle cierta inquietud. Constantemente estaba buscando no ya una palabra de aliento, sino una opinión favorable, una sentencia objetiva y confirmatoria.

Como teníamos toda la mañana por delante, decidimos recorrer, en la medida de lo posible, los límites de la finca. Yo había traído conmigo la copia del testamento de mi abuela, unas copias de los títulos de propiedad otorgados a mi abuelo donde se definía cada heredad, así como otros viejos papeles y los últimos contratos de compra-venta que se hicieron en vida de mi tía Carmen.

Todo había cambiado. Todo era mucho más pequeño que lo que yo me había imaginado. El primer día a duras penas pude reconocer la entrada del camino cuando el señor Huesca detuvo el coche e hizo una pequeña maniobra para seguir por él. Había olvidado que estaba cerca de un recodo de la carretera, y cuando a la izquierda aparecieron las dos pilas pensé en otro propietario, otro inventor de granjas que había prosperado lo suficiente para hacerse notar. No habían hecho más que enfoscar la piedra con un revoco blanco y cubrir las iniciales de mi abuelo con dos piezas de azulejo: «Granja Santa Fe.» Bastante deteriorada, de color pardo de monte, aún quedaba en pie una de aquellas bolas de granito que emergía de la pilastra revocada como la cabeza de un monarca repentinamente cubierto de un armiño de alquiler, en una comedia parroquial.

Casi todos los árboles de mi niñez habían desaparecido; comprendí entonces qué difícil me iba a ser localizar los recuerdos; era como volver a una casa sin muebles, cuyas habitaciones, de dimensiones irreales, se suceden en un caos de paredes de color irreal, de luces irreales y ventanas y pasillos que nunca debieron existir. Todas las estampas que yo llevaba conmigo tenían un árbol de fondo: un almendro en el patio trasero, rodeado de un banco de piedra tosca, donde José colgaba un espejito de soldado para afeitarse los días de fiesta; las hayas del camino por donde veía alejarse los pocos coches que llegaban a la casa, por donde un día se acercó un indio a caballo, cubierto con una capa, y las dos higueras de la terraza inferior, a cuyo pie se sentaba mi madre cuando venía de vacaciones, cruzando los pies por los tobillos, para hacer punto o unas cuentas en un pequeño cuaderno rojo mientras yo subía a las ramas; y el ciprés de la esquina, el árbol más alto de la casa, rodeado de evónimos y laureles, cuya sombra se posaba en mis mantas las noches de luna de agosto. Todo el paseo de olmos frente a la fachada principal había sido talado en la guerra, y cuando el señor Huesca detuvo el coche ante la puerta tuve la sensación de que la casa, al tiempo que yo crecía en un instante, mudaba de color y se reducía, como obedeciendo a esas mutuas alteraciones de tamaño que sufren gatos y conejos en las películas de dibujos. Yo había vivido entre la fachada y los olmos, sin saber qué era lo más alto; ahora que habían desaparecido los olmos y la casa estaba rodeada de una llanura humeante, reducida a unas dimensiones modestas, comprendía hasta qué punto las glorias familiares, todo el pasado delirante que se repite de boca en boca a través de generaciones inconscientes, no son más que transposiciones al reino infantil de un relato exagerado. Durante años habíamos vivido a la sombra de ese pasado familiar, ensalzado y cantado por las mujeres a la hora de acostarse; pero cuando la ruina se cierne sobre una familia rara vez desaprovecha la ocasión para reírse de ella al tiempo que le arrebata de un último zarpazo todos los hombres que la formaban, para dejarla reducida a un coro de abuelas huecas y tías huecas e hijas que se van ahuecando y aflautando con los cantos parroquiales en los sombríos calvarios, que pretenden justificar su naturaleza silbante destilando en los asombrados oídos infantiles las grandezas de una historia familiar más amplia que la romana: la fabulosa contextura de un abuelo recio como un Escipión, su cohorte de pretores y procónsules, criados y palafraneros; las cacerías de antaño, las correrías de un hijo rebelde como un Catilina, apuesto, rico, generoso y seductor como un Antonio, alejado, expatriado y heroicamente desaparecido como un Régulo. Yo había vuelto a Baalbec para contemplar un jardín talado, una chimenea torcida, unos grifos secos, las manchas de humedad en las paredes de un salón reducido, un balcón de metal deployé con sus chapas levantadas, oxidadas y rotas; una fachada salpicada de agujeros, por donde se vaciaba el contenido de una fábrica de cascote suelto y madera podrida.

La primera dificultad consistía, según el señor Huesca, en una duplicidad de documentos relativa a la propiedad de una heredad, llamada Burrero, de unas seis hectáreas de extensión. Yo le llevé a ver Burrero, que él no había sabido localizar; era una de las vegas altas, junto a un camino que cruzaba el río con una desaparecida pasarela y flanqueada por algunos cómaros, donde, en mi tiempo, siempre se encontraban restos de hogueras. Aunque el título estaba a su nombre por haberlo adquirido a su antiguo propietario, el señor Fabre, antiguo vecino de Región, quien lo había comprado y subrogado a mi abuela, existía una reclamación por parte de una tal señorita Cordón, vecina, asimismo, de Región, quien alegaba obraban en su poder ciertos documentos que atestiguaban que el mencionado terreno había sido adquirido por su difunta madre a la viuda de Benzal, el año 1915.

—¿Mil novecientos quince?

—Sí, creo que eso dice.

—Es raro; el año mil novecientos quince vivía yo todavía en la casa y Burrero seguía perteneciendo a mi abuela. Muchas tardes bajaba yo allí a merendar y ver a los gitanos. Fue el último año que pasé en San Quintín. Y fue el mismo año, de eso estoy seguro, que...

—Fue el mismo año..., ¿qué?

—¿Cómo decía usted?

—Usted iba a decir que fue el mismo que..., y se calló.

—No, nada; estaba pensando en otra cosa.

Fue el mismo año que murió mi tío Enrique, el mayor de

los hermanos. Lo tuvieron que sacar enfermo, casi agonizante, y llevarlo a un sanatorio, donde apenas duró cuatro meses. Unos pocos meses más tarde mi madre le seguía a la tumba, arrastrada por una enfermedad galopante.

La propia señorita Cordón había advertido a Ramón Huesca de la existencia de tales documentos en cuanto empezó a abrir los primeros regatos, a fin de causarle el mejor perjuicio. Le dijo —así me lo refirió el propio Huesca— que en su infancia había oído hablar en alguna ocasión a su madre de la adquisición del Burrero, quejándose de que sólo le había servido para traerle mayores disgustos, aunque su madre —así lo confesaba ella con la mayor franqueza— nunca se tomó la molestia de dejar las cosas claramente sentadas y siempre se refirió al Burrero con unos términos de vaguedad, desencanto y resignación como dando a entender que a la postre lamentaba su posesión.

Cuando los terrenos fueron adquiridos por Huesca a un precio cualquiera, alto o bajo daba lo mismo, porque nadie se imaginaba que a partir de 1920 fuera capaz nadie de dejar allí una peseta, creyó llegado el momento de formalizar una reclamación no tanto llevada por sus propios impulsos —imbuida con seguridad del mismo espíritu de indiferencia y fatalismo y hasta rencor hacia una tierra hostil a sus habitantes— como influida por un sobrino que vivía en la capital, que acababa de estrenar la carrera de leyes y estaba deseoso de ponerla en ejecución. Pero la señorita Cordón estaba muy lejos de atenerse a las sugerencias de su sobrino (ni su estado de espíritu, ni sus economías, ni la vaguedad de los documentos comprobantes le permitían elevar una demanda judicial, que hubiera sido recibida —y ella no se atrevía a asegurar dónde, si en el viejo juzgado o en el abandonado cuartelillo de la Guardia Civil, o en el último entresuelo donde quedaba una placa de abogado— con la misma desgana e incredulidad que si hubiera entrado para formalizar su inscripción en una carrera de natación, en el antiguo local de la Comisión de Festejos) quien, sin duda, desde la capital ignoraba qué clase de hombre podía ser un oficial de registro encargado de la ejecución del título, que dormía desde hacía quince años o más sobre un viejo sillón de cuero destripado apoyado sin patas sobre pilas de carpetas que debían contener todos los atestados de la época minera y del balneario y que durante mucho tiempo habían de construir el único alimento, casi el plato único impuesto por un asedio tenaz, de todas las ratas de la provincia; porque juez y registrador habían desaparecido hacía tiempo y si alguno seguía vivo (ya que nadie recordaba haberlo enterrado) aún debía estar, apagada ya más que toda su sed de justicia toda la mecanográfica inspiración para pronunciar sentado ante una sencilla mesa cubierta con un damasco rojo, sentencias sensatas que al menos guardaran alguna relación con las deposiciones de unos testigos arrastrados por el vínculo de la amistad, el apego a la tierra y la generosidad de sus corazones, metido debajo de la mesa ayudándose con el vino a pensar dónde podía haber radicado el fallo de la justicia; y el abogado debía seguir escondido en el último y más negro rincón de su entresuelo, tragando polvo de tiza y tosiendo, enfermo de la cabeza, desvariante y con los pulmones abrasados por una silicosis de segundo grado que le había producido la repentina y desmedida afición a las matemáticas que pescó a la semana de quedarse sin clientela.

Se había conformado por el momento de advertirle de la existencia de esos documentos y de cifrar su reclamación (y debió oírlo sin atreverse a mirarle a la cara, avergonzada y resfriada, para esconder su nariz y sus ojos) en la devolución de la misma cantidad que su difunta madre había entregado a la viuda de Benzal, en concepto de depósito provisional garantizado por la propiedad del Burrero: doce mil pesetas.

Era una de las pocas personas que vivía aún en Región, en la antigua casa de mis abuelos, ocupando la cocina y el cuarto de estar de las primitivas habitaciones destinadas al servicio. Toda la casa estaba desnuda y deshecha, en un barrio deshabitado, y la pobre mujer vivía rodeada de miseria, en la más despiadada soledad; no salía de aquel cuarto junto a la cocina, sin otros muebles que una mesa camilla cubierta con una manta verde, donde había una caja de labor, y un modesto aparador de pino donde guardaba unos restos de comida: frutas mustias y un plato de alubias. Allí conservaba también los objetos de lujo heredados de los padres: un viejo despertador parado, un calendario de propaganda de una fábrica de harinas, un rosario de pedrería falsa con una cruz bizantina y un vaso de madera tallada a cuchillo. De un cajón del aparador sacó una vieja caja de frutas confitadas, que contenía todas sus riquezas y todos los papeles del legado; era una pequeña hoja de papel tela casi transparente que había amarilleado, tenía los pliegues negruzcos y una mancha de grasa debajo del membrete en relieve de mi abuelo; estaba fechado en San Quintín, el 18 de agosto de 1915 y con una letra clara, rápida y elegante mi abuela había escrito:

«He recibido de doña Eulalia Cordón la cantidad de doce mil pesetas, importe del traspaso del Burrero. Autorizo a doña Eulalia Cordón al disfrute y libre utilización del Burrero y todas sus pertenencias hasta la reposición de este depósito, que me comprometo a pagar antes del 18 de noviembre de 1915.

Blanca Servén de Benzal.»

—¿Y nada más?

—Hay la otra carta. Había otros papeles también. Mi madre los guardaba todos, pero casi todos se perdieron cuando el traslado de la casa.

—¿Qué casa?

—Esta.

Era un papel de tamaño holandesa, sin membrete, escrito con la misma letra pequeña y rápida, utilizado solamente en su mitad derecha, espaciando mucho los renglones; estaba fechada el 7 de octubre de 1915 y tratándola de «mi querida Eulalia» mi abuela se quejaba de un sinfín de dificultades para devolverle el dinero en la fecha prevista, por lo que le suplicaba que accediese a una ampliación del plazo de noventa días, autorizándola, como era de esperar, a la utilización indefinida del Burrero e incluso procediendo —así lo sugería mi abuela— a la formalización legal del compromiso, si así lo quería ella.

—Y eso es todo, señorita Cordón...

—No me llame señorita Cordón —se había vuelto hacia la ventana y nos daba la espalda al hablarnos.

—Quiero decir... ¿eso es todo?

—Eso es todo lo que tengo, ¿no le parece suficiente?

—No lo sé, señorita...; no lo sé. Supongo que será suficiente para demostrar que la viuda de Benzal quedó debiendo doce mil pesetas a su madre.

—Querrá usted decir que mi madre quedó en posesión del nombre; bueno, quiero decir, del título del Burrero— se volvió para mirarnos con malicia.

—No lo sé— era difícil decírselo; era mucho más fácil despedirse de ella como defensores de su causa, aunque hubiera que dirigir la apelación al silencio de las tumbas enterradas bajo dos palmos de barro.

—Ya le dije a usted, señor, que yo no quiero ir al juzgado. Yo sólo quería que usted lo supiera.

Había que salir de una manera o de otra. Aunque no me había dado a conocer —y así se lo rogué a Huesca—, sentía sobre mí el peso de una vergüenza de la que él era testigo. Le dije algo sin pensarlo, algo que una vez dicho quedó flotando en la pequeña habitación y me cargaba con la responsabilidad de pagar doce mil pesetas para conservar intacto el nombre de la familia ante un desconocido. Tenía prisa por irme de allí; trataba de rehuir su mirada maliciosa y vidriosa (y repitiéndome: «Yo sólo quería que ustedes lo supieran...»), escondido en el rincón del aparador dando vueltas al vaso de madera: era una especie de vasija incaica para el pulque, tallada a cuchillo con un gusto primitivo a trazos rectangulares con una cara de mujer por un lado y una E entreverada por el otro.

—Era de mi madre. Teníamos muchas cosas de esas, pero casi todo lo perdió en el traslado de la casa.

No nos acompañó a la puerta; se quedó junto a la ventana, mirando al cielo con el ceño fruncido, perfectamente indiferente y tranquila del resultado de la visita.

—Bueno, a lo mejor le entregó un anillo —dijo Huesca abriéndome la puerta del coche.

Yo no le escuchaba.

—¿Un anillo? ¿Por qué un anillo?

No me decidía a subir.

—Un anillo o un dije o una pulsera. Cualquier cosa que le sirviera para saldar la cuenta.

—¿Y el terreno?

—No, el terreno, no —no parecía decirlo por interés ni siquiera satisfecho de ello, sino más bien molesto de su propia seguridad.

—¿Seguro que el terreno no? —la respuesta me era indiferente.

Abrí la puerta, cogí el ramo, que había quedado en el asiento trasero, y llamé de nuevo a la casa. La señorita Cordón asomó por la rendija de la puerta, mirándome con el mismo ceño fruncido.

—Conocí hace años a sus padres. ¿Querrá usted llevarles este ramo a su tumba, como recuerdo mío?

—Gracias —dijo, cerrando la puerta.

Había empezado a llover, y el señor Huesca echó la capota del coche.

—Se iba a echar a perder —le dije, cuando puso el coche en marcha—. No parece que el tiempo quiera levantar.

Era un coche antiguo y descapotable —que podía haber pertenecido a un campeón de tenis— que el señor Huesca metía por todos los caminos, aunque lo cuidaba con esmero. El campo estaba encharcado; no se veía un alma, ni en toda la extensión de nuestra visita el menor signo de cultivo; la guerra había talado todos los árboles de la llanura y no había desde entonces más que desordenados macizos de arbustos y tallos retorcidos, incapaces de sostener su propio peso, bosques de cardos, azaleas venenosas y viejos y herrumbrosos saltaojos, declives y lomas cubiertos por la retama.

—¿Conoció usted a su abuela, señor Huesca?

—Sí, ya lo creo; mi abuela paterna murió cuando yo tenía quince años.

—¿Cómo era?

—¿Que cómo era? Era una mujer humilde que no pensaba más que en su casa y en los suyos. Creo que nunca salió del pueblo.

—Sería muy mirada para el dinero.

—Supongo que sí, supongo que sería tan mirada que ni siquiera lo conocía.

—Como todas las abuelas. Yo creo que la engañó...

—¿Que engañó quién?

—Mi abuela la engañó. No le devolvió nunca el dinero.

—Quién sabe; a lo mejor le entregó una joya.

—No. Pues sí que mi abuela era mujer que se dejaba las cosas a medias. Si le hubiera entregado algo no hubiera quedado el papel en poder de Eulalia.

Como me mirara con extrañeza, tuve que explicarle:

—Eulalia Cordón era una pobre mujer, que murió loca. Era la hija de los guardas de San Quintín.

Cuatro

—Y bien, no creo que a mis años sea cosa de romperse la cabeza tratando de adivinar lo que hizo en mil novecientos quince una señora tan complicada como mi abuela.

Habíamos acabado de cenar, muy sencillamente, en el viejo, casi desnudo, comedor familiar. No lo iluminaba más que una bombilla con una tulipa blanca que destacaba en las paredes las sombras de los muebles que permanecieron allí hasta que la guerra acabó con todo; la sombra de aquel gran trinchero moldurado (que en tiempo de mi abuelo se decoraba con tres filas de bandeja de plata) ocupaba la pared del fondo como el sórdido arco aristocrático abriéndose al jardín, en una comedia elegante montada para un escenario pueblerino.

Ramón Huesca vivía solo con un matrimonio que había traído de su tierra, mientras intentaba poner la casa a punto para el traslado de toda su familia. Pero aquella noche se había ocupado de traer leña seca y una botella de coñac barato, así como de arreglar dos sillones que había encontrado desfondados en la leñera. Eran dos sillones de mimbre, para sentarse al fresco, a cuyo respaldo me encaramaba de chico para caer sobre los hombros de mi madre.

—Lo más sencillo será considerar impagado ese recibo y tratar de ayudar a esa mujer. Hay que ayudarla, hay que ayudarla a saber lo que quiere.

—Pero no es sólo eso, no es cosa de doce mil pesetas. Lo importante son los lindes, más que saber lo que pasó con el

Burrero. Porque no hay forma humana de saber lo que era San Quintín.

—Se ve que no es usted de aquí. Pero ¿es que cree usted que la señorita Cordón aceptaría mañana la restitución de ese terreno?

—Por lo menos de las doce mil pesetas.

—No lo sé. Me atrevo a creer que tampoco. Lo que sí sé es que tiene miedo.

—¿Miedo? ¿Miedo de qué?

—Miedo de que cualquiera pueda entrar en su casa con doce mil pesetas para decirla: «Aquí están, tome usted. Firme usted aquí y este asunto se ha acabado.» Miedo de tener que poner en un papel Eulalia Cordón, si es que se llama así y es que sabe ponerlo. O simplemente de que la llamen señorita Cordón. ¿Se ha fijado usted de qué forma nos volvía la espalda?

Nos habíamos sentado junto a un fuego vacilante, tomando café de lata y unas copas de coñac. La lluvia había amainado y por los ventanos del fondo entraba una débil claridad: «¿Se ha fijado usted de qué forma nos hablaba del traslado de su casa? Se diría que tuvieron que salir una noche con los colchones a la espalda, huyendo de las aguas o de la peste. Es cierto que usted no es de aquí y no puede comprender lo que significa la tierra para los que (no sé muy bien cómo) siguen resueltos a no abandonarla..., iba a decir sin ninguna razón: no. La ignorancia, el miedo o la fatalidad son las únicas razones. Pero usted no es de aquí y nunca se podrá hacer cargo de la magnitud de esa ruina...»

Hablábamos apenas; él sostenía la copa un poco elevada, hundido en el sillón de mimbre, mirando las sombras del techo con un punto de interrogación. Tampoco era fácil decirle a un hombre que tal vez se había gastado un cuarto de millón que le hubiera sido lo mismo plantarse allí y colocar un letrero: «Propiedad de Ramón Huesca», con la misma tranquilidad legal con que Colón clavó la cruz y el pendón de Castilla para tomar posesión de un continente. En el humo y en las sombras del techo y en la claridad fosforescente del fondo parecía seguir esperando unas palabras de aliento, una opinión aprobatoria.

—Los lindes, ¿qué importancia pueden tener? Ponga usted mañana un cerca por donde más o menos cree que corren. Tardarán en enterarse, pero con un poco de suerte tal vez al cabo de un año le visite un paisano diciendo que quiere demolerla.

—¿Entonces?

—Muy bien; entonces si usted quiere la echa abajo y si no la deja.

—¿Y el paisano?

—Bien, si la echa abajo le pediría que incluya también un pedazo que perteneció a su difunto padre.

—¿A cambio de qué?

—A cambio de nada.

Bajó la vista, se sacudió unas cenizas que habían caído en su pantalón. No debía estar lejos de entenderlo ni se resistía a ello. Hubiera luchado contra ello si hubiera sabido con qué motivos se hacía, pero lo único que sabía es que estaba solo, incluso abandonado por una mujer que a aquellas horas estaría durmiendo apaciblemente, con la puerta de la habitación de los niños entornada, tejiendo en sueños un sinfín de farisaicas exigencias sobre el concierto de la incomprensión: «Sí, se ve que usted no es de aquí, porque está acostumbrado a trabajar la tierra, sacarla su fruto, comprarla y venderla. Pero aquí la tierra no se paga. Aquí se la teme, se la odia y se oculta uno de ella; pero ¿por qué cree usted que viven a oscuras, escondidos en sus chozas y borrachos de castillaza? ¿Por qué cree usted que se limitan a recoger unos hierbajos, después del crepúsculo, o a salir al monte a matar un gato? ¿Por qué? ¿Eh? ¿Por qué?»

—¿Tan mala es la tierra?

—Mala, no; hostil.

—Hostil..., hostil; ¿qué quiere decir con eso? No hay duda que usted lo conoce mejor que yo; pero ¿hasta ahí llegan las supersticiones?

—¿Las qué...? ¿Las supersticiones?

—Como lo quiera usted llamar.

—Tiene usted razón, se puede llamar así. Lo único cierto es que las cosas son como son. Tanto mejor para usted si puede hacer un buen negocio dejando las cosas como están.

—No.

—¿Qué es lo que no?

—El negocio.

Había quedado pensativo, la mirada baja. Parecía haber llegado el momento en que de una vez es preciso responder a una pregunta largo tiempo sostenida, cuyo sentido, en un principio intrascendente, ha ido poco a poco complicándose hasta poner en entredicho toda la capacidad de resolución.

—Se trata de vivir de una manera decente. Eso es todo. Más que el negocio, más que nada.

—¿Más que nada? Bien, adelante. Usted es joven y ha venido aquí para eso. ¿O es que le parece demasiado trabajo para un hombre solo?

Torció los labios y bebió lo que quedaba en la copa. Agarró la botella del cuello y llenó de nuevo las dos copas sin preguntar nada.

—Sí; sin embargo, no es eso todo.

—No lo sé; pero ¿le parece poco?

—No, no me refiero a eso. Eso es cosa de usted exclusivamente. Lo que yo pueda decirle le ha de servir de muy poco. Pero me refería a otra cosa, me refería a la carta. ¿Qué necesidad tenía mi abuela de escribirla?

—Alargar el plazo; tener tranquila a esa mujer.

—¿El siete de octubre? ¿A los cincuenta días de un plazo de noventa? No. De un plazo de noventa días (se lo digo por experiencia, desgraciadamente) los primeros ochenta se ocupan en el dinero. Durante los otros diez hay que pensar en la forma de devolverlo. ¿Qué necesidad tenía mi abuela de escribir una carta el siete de octubre a una persona que vivía a un kilómetro de distancia y podía verla a diario si le daba la gana?

No me escuchaba. Echó de nuevo mano a la botella.

—No, gracias. Para mí ya es bastante.

—De todas formas, por muy raro que sea es más raro lo que está ocurriendo ahora.

—¿Qué?

Hizo un gesto amplio, tanto más general cuanto más vago: «Eso. El miedo por todas partes. Que la tierra no valga nada. Que la gente quiera desprenderse de ella como si en lugar de un prado tuviera un tigre. Que la gente no valga más que para emborracharse y matar gatos por la noche, para comerlos o para ahorcarlos...»

—Un día se dará cuenta, señor Huesca, aunque... mejor sería que no tuviera nunca necesidad de comprenderlo.

Estaba tranquilo, con una pierna cruzada y las manos sobre el pecho. De repente quiso forzar una expresión de malicia.

—¿Y si vine por eso? ¿Y si vine precisamente por eso y sólo por eso?

—¿Por qué?

—Porque esto es así y nada más. ¿Por qué otra razón cree usted que sube un alpinista a un pico inexplorado? Pues porque está allí y nada más.

—No lo sé; me imagino que el simple hecho de que esté ahí es un desafío.

—Usted lo ha dicho, un desafío...

—En ese caso, ¿qué quiere que le diga?

Me había levantado, dejando la copa en el suelo: «En tal caso no tengo más que callarme: usted sabe todo lo que hay que saber.»

—¿Todo?

—Yo diría que sí. Hay que subir al pico; supongo que sabe dónde hay que poner los pies.

—¿Todo? —repitió, sin apartar la mirada, con las manos tranquilamente entrelazadas sobre el pecho.

—¿Ha pasado usted mucha hambre en su vida, señor Huesca?

Asintió con la cabeza:

—¿Qué importancia tiene eso ahora?

—Puede que no tenga, es cierto. Pero usted no ha vivido

nunca entre la ruina. No entre la miseria, entre la ruina. No me refiero al hecho de que un día pueda quedarse sin un céntimo, es mucho más que todo eso. Porque eso, al fin y al cabo, no es más que un episodio; si es el último, eso es todo. Si no es el último se vuelve a empezar, y ya está.

—¿Y qué otra cosa puede ser?

—Todo, señor Huesca; todo. Le estoy hablando de la ruina, que las personas dejen de ser personas; que las casas dejen de ser casas; que la comida deje de ser comestible, y no se pueda arar la tierra. Que los padres se entreguen al castillaza para no verse obligados a devorar a sus hijos y los hijos se vuelvan a la caverna. Todo, señor Huesca. Que se venga abajo todo. Que se quede usted sin vida. Vivo, pero sin vida. Sin nada que hacer ni nadie con quien hablar. Porque cuando se llega a ese estado de ruina es mejor no tener nada, seguro al menos de que se ha tocado el fondo. Es mejor no tener nada: ni casa, ni madre, ni fe, ni recuerdos, ni esperanza, ni siquiera un mal pedazo de tierra donde meter el arado cada dos años; porque todas las cosas llevan dentro la posibilidad de arruinarse, y lo poco que uno tenga le hundirá más bajo todavía, en cuanto se descuide. Y usted, ¿sabe usted lo que se juega? ¿Sabe usted que se juega todo? ¿Todo lo que ha estado tratando de evitar y de conseguir desde que nos comíamos los unos a los otros en el fondo de la caverna? Confórmese con lo que tiene, señor Huesca, porque el día en que, considerando un buen negocio lo que el paisano viene a proponerle, llegue usted a multiplicar por dos la extensión de su finca, no es un tigre es toda Bengala lo que ha metido usted en su casa.

—Y, aunque así fuera, hay excepciones. ¿Por qué no iba a ser una excepción?

—¡Oh, claro! Tan sólo le digo que no me gustaría ser una excepción.

Me había levantado por segunda vez, acercándome a la ventana: toda la llanura de Región aparecía bañada en una claridad plateada, fosforescente en el horizonte, en ese silencio y ese aroma —sin viento ni susurros nocturnos ni ruidos de árboles— de las atlántidas sumergidas, última aureola de todas las llanuras quiméricas, donde un día existió y dejó de existir una civilización.

—Mi abuelo fue una excepción. Su fortuna apenas duró treinta años. Y creo que si hubiera podido prever de antemano un destino tan breve, a pesar de ser un hombre excepcionalmente dotado para el negocio y la aventura, no hubiera movido un dedo para forjarla. Al menos ellos —los aventureros del tiempo de mi abuelo—, embriagados con sus propias inversiones y hechizados por las nuevas industrias y los ferrocarriles y las explotaciones mineras, creían que sus fortunas iban a quedar como símbolos de la patria, más imperecederas que las estatuas de los libertadores. Cuando mi abuela escribió esa carta debía estar totalmente arruinada, tan descompuesta como para transformar los principios de una moral rígida en el artificio necesario para engañar a una pobre desventurada y despojarla de todo el dinero que guardaba debajo de la cama. Porque no debió ser fácil para mi abuela. Según contaba ella misma, Eulalia Cordón se había convertido en un bruja desmemoriada que se abalanzaba debajo de la cama para apretar la caja de dinero cada vez que oía unos pasos cerca de la casa; ese dinero que, en un momento dado, debió ser el último que quedaba en todo San Quintín. Por esas mismas fechas mi abuela le cedió la casa que había desalojado en Región para evitar que una persona así viviera en nuestra vecindad, a la entrada de la casa.

—Tal vez fue eso lo que...

—No. Ella no hubiera dado doce mil pesetas por el cambio. Seguramente fue forzada a hacerlo. Pero ya ve usted cómo hasta las mismas personas se transforman en otra cosa: mi abuela, que era la misma rectitud..., es el primer síntoma. La transformación de la razón de vivir se efectúa con la misma rapidez, quizá mayor; porque al principio se pretende ocultar la desaparición de la antigua razón, manteniendo en lo posible el mismo comportamiento. Luego, cuando el disimulo se filtra en las costumbres, qué poco tarda en convertirse en el verdadero señor. Qué poco tarda en engendrar la hipocresía, el engaño y..., ya lo ve usted, el delito, la estafa, como lo quiera usted llamar. En el momento en que la razón de vivir había descendido de las sociales e industriales lucubraciones de un abuelo magnate a la confección apresurada de un traje de «soirée» (aprovechando algunos retazos multicolores que olían a naftalina) para la única tía presentable en una anacrónica velada provinciana de la vieja clase (cuya fortuna conjunta para aquellas fechas no hubiera alcanzado a las doce mil pesetas de aquella loca), en la que era arrojada como el anzuelo del aficionado dominguero en la arrabalera charca que jamás entregó pez alguno, visitada cada domingo por un centenar de aficionados domingueros, ¿en qué otra cosa iba a pensar mi abuela, sino en conseguir como fuera esas doce mil pesetas, la única trucha que quedaba en toda la comarca y que se paseaba en su propia alberca? Y eso que mi familia, señor Huesca, fue la excepción: porque les llegó la muerte (una muerte en apariencia digna) en su propia casa, sin necesidad de esconderse en un rincón, con la botella en la mano. Ya ve qué aspiraciones más modestas. ¿Ha conocido usted mucha gente, señor Huesca, que murieran en el lecho de su padre? Yo no. Yo, a nadie. No quiero decir que eso sea una gran cosa. Al contrario, casi es algo ridículo; pero... ¿por qué una familia dura a lo sumo tres generaciones? ¿Ha conocido usted muchas familias (quiero decir, la casa, la tierra, la propiedad, los recuerdos, la misma educación y los mismos objetos que pasan de padres a hijos, incluso las enemistades), ha conocido usted muchas familias que prevaleciesen durante más de tres generaciones? Yo, ninguna. Debe ser porque no conozco ningún rey o ningún duque, o, por el contrario, será porque no he tenido la suerte de nacer en el hogar del labrador más honrado. Pero me pregunto a veces qué clase de maldición arrastramos los que no pertenecemos a una clase ni a otra. ¿Por qué es eso así, señor Huesca? ¿Por qué no tenemos otra salida, breve o larga, que la ruina? ¿Por qué no sabemos hacer otra cosa que preparar la mesa para su festín? ¿Por qué es eso así, señor Huesca?

Cinco

Los primeros disgustos debieron llegarle a mi abuelo a causa del mismo ferrocarril, a cuya construcción había contribuido en su juventud. Mi abuelo, empujado tanto por su familia política como por su propio y maligno interés en superarla, ayudarla e incluso subordinarla, había dividido su fortuna entre la casa, las minas y el ferrocarril, creyendo que jugaba a tres paños distintos. A los cuatro años sabía que los dos últimos eran de la misma paridad (y de color rojo); pero, al menos, murió creyendo, convencido ya de que todo el paquete de acciones del ferrocarril y de la Consolidada Metalúrgica valía tanto como los cartones que pintaba su hija mayor, que dejaba una casa y una finca que permitiría vivir más que desahogadamente a diez generaciones de Benzales si se sabían mantener arrimados a la tierra, apartando de sus cabezas todas las lucubraciones industriales. A este respecto, las primeras inquietudes que asaltaron al viejo vinieron del lado de su hijo mayor, el famoso tío Enrique. Cuando se convenció de que Enrique había muerto, debió quedarse más tranquilo, considerando que con la desaparición del único hijo derrochador, jugador sin fortuna y cabeza perdida de la familia, la continuidad de la casa y la fortuna estaban aseguradas y garantizadas por las virtudes domésticas de las mujeres.

El tío Enrique había abandonado el hogar paterno antes de que yo naciera. Su nombre no se pronunciaba en la casa más que cuando mi abuela o mis tías se veían obligadas a hacer uso de las palabras supremas para reconvenirme y mantenerme a su lado.

—Estate quieto. A ver si vas a salir como el tío Enrique.

Cuando mi madre venía a San Quintín a pasar tres o cuatro días de descanso yo la recibía con todo el repertorio de preguntas:

—Mamá, ¿qué le pasó al tío Enrique?

—Se fue, hijo; se fue muy lejos. Ahora a dormir.

—¿Adónde se fue, mamá?

—A América, hijo; a ver si te duermes.

—¿Dónde está América?

—Al otro lado del mar. Muy lejos.

—¿Y por qué se fue el tío Enrique a América?

—¿Es que no te vas a dormir en toda la noche, hijo?

—¿Es que era malo?

—¿Quién?

—El tío Enrique. ¿Por qué era malo?

—No era malo, hijo. Quiero que te duermas, ¿eh?

—¿Por qué dice la abuela que era malo?

—Voy a apagar la luz, y no quiero oír una palabra más. Buenas noches, hijo, que descanses.

Mi madre y el tío Enrique debieron ser los dos hermanos que se querían. Eran el mayor y la menor separados, como las riberas de Italia, por una cordillera de hermanas huesudas y tiesas que les cerraba la vista y apenas les dejaba moverse. Pasando por alto las locuras que debió cometer el tío Enrique y la serie de complicaciones en que debió meterse —y que al llegar a un punto de ebullición debieron obligarle a abandonar su propio hogar—, lo cierto es que fueron las únicas personas de aquella familia que quisieron vivir con un poco de alegría: eran los únicos, ya de niños, que se escapaban de la casa, se iban a la vendimia o cogían el caballo al trote por el camino, con el mozo en la grupa saltando como un pelele; porque, como decía mi abuela, «nunca ni Emilia, ni Blanca, ni Carmen le dieron el menor disgusto». Carmen era la anterior a mi madre; una belleza desgraciada, frágil y nerviosa, que se comía las uñas, padecía insomnio y mantuvo a la casa toda su vida en permanente alerta farmacéutica, pero que, por paradoja, llegó a ser la última superviviente, acaso porque había logrado a fuerza de dramatismo musical —para el que se creyó predestinada desde los dieciséis años y que se inoculó el resto de su vida— convertir sus entrañas en parafina; murió el año 44, heredera universal de todas las deudas contraídas por los Benzal, sin haber logrado interpretar correctamente una sola vez el adagio de la sonata Waldstein.

La época más feliz de mi madre —acaso la única— corrió entre los últimos años del siglo pasado y los tres o cuatro primeros de éste, y no tanto porque entonces tuviera ella sus diecisiete o sus veintidós años, sino porque su juventud coincidió con el despertar de aquella primera generación nacida en un momento único. Eran los hijos de los primeros colonizadores que («¿y qué es una generación, señor Huesca, a la vista de lo que les espera, sino un grupo de gente condenada a nacer en el mismo momento, condenada a sufrir la misma época y la misma suerte? ¿Qué puede ser una generación sino la premonición, prefiguración y colectiva demostración de un fracaso? ¿Es que no se da cuenta, señor Huesca, que lo poco que escapa al fracaso escapa también a las generaciones?») podían empezar a reírse de las locuras de sus padres, portavoces inconscientes de un destino que empezaba a insinuar en ellos las primeras muecas atroces de la burla. No en los salones del Casino ni en los bailes de juventud organizados por eructantes tías que ingerían el té, sin tener adaptado el organismo, por razones civiles, sino puertas afuera: corrían entre los alcornoques de San Quintín, sacaban de noche los caballos de las cuadras paternas y... se bañaban en el Torce. Incluso mi madre y mi tío Enrique subieron más de una vez al automóvil que se había comprado un joven de Región (se debían subir unas quince personas) para hacer excursiones por la carretera de El Salvador hasta aquel famoso balneario... Y, sin duda, vivieron más de una de aquellas noches insensatas que había de acabar con la fortuna de sus padres y todos los afanes civiles de las tías empolvadas y eructantes. Por lo mismo que no fueron los bailes del Casino y las fiestas de beneficencia, a donde los hermanos acudían estrechamente vigilados por la tía Emilia y la tía Blanca, «la pareja de servicio», fueron las noches de aquel meteórico falso balneario donde se condensó toda la electricidad suficiente para cargar la tormenta que había de arrasar Región y toda la comarca, sepulta bajo dos palmos de barro y ceniza. Allí se conocieron mis padres. Los dos hermanos escapaban de noche, refugiándose en casa de Cordón, donde escondían los trajes de noche y los disfraces, para vestirse en la pequeña alcoba del matrimonio y acudir a la cita con el automovil, ocultos en el carro del viejo guarda. Más de una vez mi madre entró en el salón con el pelo salpicado de paja, mi tío Enrique sacudiéndose el grano de las perneras. Un día, o más de un día, llevaron también a Eulalia, la hija de Cordón, que miraba boquiabierta el traje de mi madre, sosteniendo la vela; mi madre le dejaba un vestido, la peinaba y empolvaba a toda prisa, aconsejándola que no se quitase los guantes, «y no harás esto y no harás lo otro, y en cuanto al joven Adán, le tienes que decir que...», mientras le apretaba el talle, entre el asombro y la connivencia del viejo matrimonio. Entraba en el salón principal boquiabierta y un poco colorada (con unos ojos profundos de una belleza repentina) del brazo de mi tío Enrique, para volver al amanecer a casa de los guardas, riendo y dando vueltas todavía. Mientras se volvían a cambiar de ropa la señora Cordón les preparaba un poco de leche caliente o un almuezo ligero, algo que desde aquel primer «¿por qué no pasáis a tomar algo?» fue convirtiéndose para toda la gente del automóvil en una imprescindible prolongación, desayuno y epílogo y hasta segundo y más íntimo baile en la cocina del viejo Cordón.

Cuando mi madre decidió casarse —no había cumplido aún los veinte años— sólo encontró el apoyo del tío Enrique. El fue el primero que habló del asunto a su padre, el que intentó por todos los medios llevarle a la razón, el que —abandonada ya toda esperanza de comprensión— trató de arbitrar un paso sobre el abismo de dos actitudes obstinadas. Por desgracia, el juego y la bebida y el desinterés por los asuntos paternos habían aureolado, a los ojos de mi abuelo, de tal forma a mi tío Enrique que todo su interés no sirvió más que para ensanchar el abismo y encerrar a los abuelos en la actitud más ridícula. Pero, a la postre, él le ayudó a procurarse un modesto ajuar, facilitó su salida de la casa y apadrinó su boda en una parroquia humilde de los arrabales de Región.

Cuando a los cuatro años mi madre tuvo que volver a San Quintín viuda y con un hijo que no tenía el año, el tío Enrique ya había desaparecido y el abuelo había muerto. Tuvo que hacerlo obligada por su carencia total de recursos y el precario estado de mi salud, necesitado de aire puro y alimentos frescos. Cuando a los cuatro años ya estaba familiarizado con la casa y las tías, empezaba a leer y mi salud se había robustecido al lado del viejo José, mi madre no vaciló en dejar la casa de nuevo y buscarse un trabajo en la capital, que nos había de permitir, en su día, vivir independientemente y costear mis estudios. Por eso, a partir del momento en que tuvimos que vivir separados, no viéndonos más que sesenta días al año, mi cariño hacia ella fue creciendo hasta un punto quizás exagerado y enfermizo.

Con la muerte del abuelo y la desaparición de los dos hijos alegres la casa entró en su declive. No quedó allí más servidumbre que el viejo José, a punto de perder el habla y todas las expresiones faciales, y Vicenta, una cocinera semisorda y tan beata que todavía me asombro de que en aquella casa se pudiera cenar otra cosa que cirios y calvarios; bien es verdad que la sopa que allí se ingería, en un silencio de sacristía —bajo la luz de una lámpara de flecos que había sustituido a la gran araña— acompasado por los sorbos de mi abuela y coreado por las tías al igual que el rosario familiar, no tenía más sustancia —como llegó a decir no recuerdo quién— que el gusanillo del escapulario que todas las noches introducía la vieja Vicenta en la olla cuando el agua empezaba a subir. Desaparecieron muebles y se cerraron habitaciones inútiles; toda la casa se redujo a cuatro dormitorios, un comedor y el cuarto de estar, así como el salón de sesiones, siempre cerrado, preparado y conservado para la media docena de recepciones anuales y veladas de buen tono con que mi abuela pretendió alejar durante algunos años el espectro de la ruina. La casa se fue ahuecando, abarquillando y agrandando; se fue cubriendo de polvo y manchas de humedad, las escarpias mortíferas aparecieron por los pasillos en penumbra, y unos visillos agujereados se hinchaban y deshinchaban al compás de los torturados adagios, los malogrados ecos de Weber y Beethoven con que mi tía Carmen se demostraba capaz de adelantar a su antojo la hora del crepúsculo.

En la casa de Cordón no quedó más que una pobre mujer repentinamente envejecida y craquelada. Mi abuela me había prohibido rondar la casa; era un espectro color lana cruda que por las mañanas salía a recoger manojos de leña y fajina bajo los olmos, corriendo a refugiarse en la cabaña tan pronto como se oían unos pasos sobre la hojarasca; que dejaba pasar las tardes sentada en un rincón del suelo, contando una y otra vez el dinero que guardaba en la vieja caja de frutas, vestida con un viejo traje de noche deshilachado, de amplio escote y color azulón, o mirando al techo, meneando la cabeza desgreñada y canturreando entre risas convulsas y violentos hipidos, meciendo en el aire el fantasma de un niño.

Una tarde que había acompañado a José a recoger unas patatas —unas patatas pequeñas y negras como higos secos que él cultivaba en la antigua alberca— vimos un hombre a caballo que se acercaba lentamente hacia la casa. Había estado lloviendo y las gotas brillaban aún en las ramas; llevaba un sombrero ancho y claro, un grueso abrigo con el cuello subido, y se dejaba llevar por el caballo, con los ojos casi cerrados. Cuando llegó a nuestra altura José se adelantó al camino, dejándome al cuidado de las patatas. Sólo vi una cara muy negra, pequeña y arrugada como la de un chino y una voz que le hablaba a José con un acento cantarín que yo no había oído nunca. Aquella tarde hubo gran agitación en la casa antes de cenar; mi abuela se paseaba por el comedor y el cuarto de estar retorciendo entre sus dedos una punta de la mantilla mientras la tía Carmen tocaba el piano más traspuesta, equivocándose más que de ordinario, hasta que la abuela le cerró el piano de un manotazo, no pillándole los dedos por un pelo.

Me dieron de cenar solo, en la cocina, mientras a través de los tabiques se oía el traslado de muebles; me acostaron en la habitación de la tía Carmen, en un colchón en el suelo junto a su cama. Una detrás de otra vinieron las tías y a la tercera logré convencerlas de que dormía. Luego las oí cenar y sorber y suspirar más hondo que de costumbre; mi abuela levantó la voz un par de veces. Muy tarde —pero yo seguía a la escucha, contando con los dedos para mantener la atención despierta— se oyó el ruido de un coche en el jardín y las cuatro mujeres se levantaron de la mesa a espiar detrás de las persianas.

—Vete a ver si el chico duerme.

No pude verle llegar por el camino, porque la tía Emilia se quedó mirándolo desde la ventana hasta que mi abuela la llamó quedamente, asomada al quicio de la puerta.

—Baja, Emilia; alumbra la escalera.

Era un coche cubierto, de un solo caballo. Reconocí al que había llegado aquella tarde, que ayudaba con sumo cuidado a bajar del coche a otro hombre más corpulento que él; se cubría también con un sombrero muy ancho y un gran capote que casi le llegaba a los tobillos y se diría que no le quedaban fuerzas ni para subir los tres escalones. Pegado al cristal, casi podía oír su respiración jadeante más alta que los bufidos y el piafar del caballo. Cuando llegó ante la puerta —el pequeño le sostenía a su izquierda, pasándole la mano bajo el brazo—levantó la vista hacia la casa. La puerta se había abierto y el umbral se iluminó con el farol de la tía Emilia; una cara barbuda, comida por la fiebre, sosteniendo con las orejas un sombrero que le venía grande, un gesto inquieto, extrañamente vacilante y contradictorio como si tratara de avanzar con un paso atrás hacia la celda del olvido.

Durante algunos días permanecieron cerradas la puerta y la ventana de mi cuarto. Mi abuela no me dejaba acercar a él, vigilándome de cerca para impedir cualquier indiscreción, pero incapaz de una explicación más satisfactoria que el dedo índice en los labios de una tía, cuando llamaba con los nudillos a la puerta del cuarto, con un vaso de leche caliente y un plato con una pastilla.

—¿Verdad que es el tío Enrique, José?

José había dejado de hablar. A lo más, lo único que sabía hacer era soltarme un codazo cuando me ponía muy pesado, siguiéndole a dos pasos con una pregunta insistente:

—Se lo preguntaré a mamá cuando venga.

Un día, al fin, las cuatro mujeres cosían; de improviso levanté la vista abandonando la lectura de un cuento anticuado que habían colocado en mis rodillas y pregunté: «Abuela, ¿por qué no se levanta el tío Enrique?» La costura se detuvo; mi abuela se levantó dejando la labor en la silla para pasear una mirada de represalia por encima de las tres cabezas humilladas. Pero a partir de aquel momento de alguna manera se admitió mi complicidad en el secreto. Se suspendieron los conciertos y volvimos a cenar todos juntos; pero la abuela no abandonó la casa ni para ir a misa los domingos.

El otro hombre también vivía allí. Por la tarde, antes de oscurecer, bajaba a la cocina a pelar unas patatas o hacer una especie de puré blanco con una harina especial que llevaba en un saco pequeño. Tenía unos ojillos vivos de animal de monte y siempre se sentaba en el suelo, con una manta sobre los hombros aunque fuera verano, a darle vueltas a la papilla con una cuchara de palo o a afilar un palo o a tallar una tabla mientras cocía la papilla a fuego lento. Un día que nadie me veía llamé a la puerta con el mismo tono que mi tía, casi a la misma hora; la puerta se abrió despacio, sólo lo suficiente para que yo metiera la cabeza; la habitación estaba a oscuras, la persiana echada. Había un olor muy penetrante a medicinas y pomadas, y apenas pude llegar a vislumbrar el bulto en la cama, que jadeaba en la oscuridad, porque cuando el pequeño me vio asomar —se sentaba junto a la puerta con la manta sobre los hombros— me plantó toda la mano en la cara y me echó fuera.

Más tarde me enteré de que era indio, creo que de Méjico. Tenía la cabeza muy pequeña y andaba muy deprisa por el monte; más de una vez le seguí —aunque él cada diez pasos se volvía para rechazarme, queriendo asustarme con gruñidos y caras raras—; buscaba unas hierbas silvestres que se llevaba en manojos a la habitación y cortaba unos tallos de arbustos que luego picaba en la cocina en trozos muy pequeños, los machacaba en un almirez, dejándolos secar, quemándolos y haciendo no sé qué cosas más para sacar un poco de líquido transparente que guardaba en una botellita de barro cocido. Pero raras veces se separaba del cuarto, nunca de noche; dormía con la espalda en la puerta, sentado en el suelo con los brazos cruzados y la manta sobre los hombros, hincando la barbilla como un pájaro y sosteniendo en la mano derecha, bajo el sobaco, aquel cuchillo curvo que no dejaba a nadie, cuyo filo pasaba y repasaba mil veces con el pulgar, traspuesta su mirada, mientras hervía la papilla.

Sólo le vi una vez, un instante entre dos sueños. Era de noche todavía, aunque ya empezaba a clarear. Me desperté sabiendo que junto a mi cabecera había una sombra muy alta que jadeaba como un perro despidiendo un aliento caliente, dulzón y fermentado como un pepino en vinagre. No tuve miedo; sólo sé que no tuve miedo; tenía el pelo alborotado, la barba le salía por todas partes, el capote echado sobre los hombros y el cuello abierto, por donde asomaban unas canas. Me estaban mirando unos ojos hundidos y sombríos, retrocediendo y ocultándose en su vértigo tenebroso, tambaleándose como una conjurada aparición, cuando a mi lado surgió la voz de la tía Carmen: «¿Qué haces ahí, Enrique; pero qué haces ahí? Vete ahora mismo de aquí», incorporada sobre el costado de su cama.

Más tarde fue José, mientras el indio afilaba un palo, quien me advirtió que no lo dijese a nadie, porque mi tío estaba muy enfermo. Se decía que había matado a un hombre en América y que le estaban buscando para vengarse. Por eso se había escondido allí, sin salir de la habitación, acompañado siempre de un indio fiel que le cuidaba y le protegía.

No volví a verle; desaparecieron a los pocos días, aquel mismo otoño de 1915, sin que yo me enterara cómo ni cuándo, y su nombre no volvió a repetirse en San Quintín hasta el día que toda la familia —mi madre y Eulalia, llorando, vinieron a San Quintín sólo a eso— asistió a sus desiertos funerales en la abandonada capilla de la casa, último oficio que se celebró en ella. No supe nunca dónde murió ni si al final fue víctima del apetito de venganza que le perseguía. Recuerdo que se dijo algo de un manicomio, un sanatorio o no sé si un penal. Mi abuela reclamó después su cadáver y le enterraron en la fosa familiar, en el terreno que había cedido mi abuelo para cementerio de la futura comunidad de San Quintín.

Seis

Nos levantamos muy temprano. Dos días atrás había estado lloviendo torrencialmente, y cuando el señor Huesca sacó el coche del cobertizo, cerró la capota y ató dos palas a la rueda de repuesto, yo no quise decirle nada.

Teníamos que darnos prisa para llegar a Macerta a la hora del tren, y cuando detuvo el coche ante la cancela del cementerio, al coger el nuevo ramo del asiento trasero (un manojo de flores silvestres de San Quintín), le dije:

—¿Le importa esperar aquí un momento?

La tumba estaba muy sucia, pero intacta; el dibujo surgió de nuevo en la memoria: era una gran losa de mármol sobre un sardinel, al nivel del suelo. No tenía otra ornamentación que una cruz de trazo muy fino, de cabeza muy pequeña y brazos muy largos, cuyo cuerpo se prolongaba hasta separar las inscripciones de mis dos abuelos a la misma altura, encima de sus hijos:

León Benzal Ordóñez
1838-1903

Blanca Servén,
Viuda de Benzal
1849-1921

Enrique Benzal Servén
1871-1917

Teresa Benzal Servén
1882-1916

Blanca Benzal Servén
1877-1928

Emilia Benzal Servén
1874-1937

Carmen Benzal Servén
1879-1944

Aun cuando la tumba había sido limpiada recientemente —y alguien había colocado un ramo ajado sobre ella—, las inscripciones en hueco estaban rellenas de barro que me entretuve en sacar con la contera del paraguas. Con excepción de la de mi abuelo —labrada con el mismo trazo fino y elegante que la cruz—, todas las demás inscripciones habían sido hechas por una mano tosca y descuidada, que había tratado de imitar al original y que, a medida que pasaban los años, se iba haciendo más temblona e insegura. Y que —pensé, en aquel momento— incluso había equivocado la fecha de la muerte de mi tío Enrique con la del traslado e inhumación de sus restos.

Había algo que me rondaba la cabeza, sepulto en la memoria, y que no volvería a aflorar hasta un día inseguro.

Dejé el ramo junto al otro y abrí el paraguas: allí no estaba el brillo de sus ojos bajo el agua, mirándome desde su muerte (como desde el fondo del salón) para materializar un vínculo tácito; no pude verla más que con los ojos cerrados, recogida en sí misma y desaparecida en la discreta e indiferente aceptación de la muerte, liberada de la miseria que la rodeara sin sentido.

El señor Huesca había desatado ya las palas.

—En fin, no creo que vuelva más por estos lugares. ¿Por qué me dijo usted que mi abuela no le entregó el terreno?

—Ah, no tiene importancia —dijo, alargándome una pala.

—No hace ninguna falta —le dije.

—¿No hace ninguna falta?

—No. Pero ¿cómo lo sabía usted?

—Bueno, ese terreno pertenecía al señor Fabre, a quien yo se lo compré. ¿Vamos?

—Ya le he dicho que no hace falta.

—¿Qué es lo que no hace falta?

—Las palas. Yo ya he terminado; podemos irnos. ¿O quiere usted también dar un vistazo a la tumba?

Se quedó sin saber qué decir, la pala en el hombro como un zapador.

—Vaya usted a verla, pero antes dígame: ¿qué tiene que ver el señor Fabre?

—Su abuela se lo vendió el año mil novecientos trece, casi dos años antes de extender ese pagaré.

La lluvia apretó al subir la Centésima.

—La Centésima, el Auge del Torce, el Burrero..., ¡qué nombres!

—Los inventaron nuestros abuelos. Hubo que inventarlos cuando la primera colonización. Al principio resultan grandilocuentes, casi como las constelaciones; luego se acostumbra uno a ellos. La vega del Burrero se llamó así porque era el lugar donde acampaban los gitanos y los burreros de Salamanca y de Andalucía. Dejaban los carros junto al camino; por allí pastaban los burros y siempre se oían las voces con ese acento tan curioso: «Cocineeeeero, Cebolleeeeero...». Hubo una gitana a la que se le escapaba el marido todas las noches y se pasaba hasta la madrugada gritando: «Burreeeeero, Burreeeeero...», con unas voces que se oían hasta en Región. Si vuelve usted un día a Región, señor Huesca, no olvide hacerme un pequeño favor...

—¿Quiere usted que le entregue las doce mil pesetas?

—No. Al fin y al cabo yo no he de volver por allí. ¿Comprende?

No podía comprenderlo; creía que yo intentaba hacerme el sordo a una reclamación enojosa y olvidar para siempre ese asunto, porque no sabía quién había limpiado la tumba. Yo había puesto mi ramo encima del otro de forma que no parecieran más que uno.

—No, ya le he dicho que no se trata de eso. Eso no es lo

que ella quiere, eso es lo que yo quisiera, nada más. ¿Qué más quisiera yo que entregarle doce mil pesetas y excusarme por la negligencia de mi abuela? Es mucho más que todo eso.

—¿Mucho más?

Mi abuela había intentado entregarlo utilizando a mi tío como portador de la carta, pero debió renunciar al belerofóntico procedimiento cuando se convenció de que el propio Enrique no era capaz de llegar a pie hasta la casa del guarda. Entonces trasladó a Eulalia a Región, y... cualquiera sabe qué pudo inventar para hacer salir a un hijo aterrorizado y alcoholizado y sepultarle en el último rincón de una casa abandonada. Cuando mi madre volvió para sus funerales él, sin duda, seguía escondido, tirado en un colchón donde hubo de vengarse, tomar forma definitiva y redimirse de aquel deshonroso amor juvenil. Mi abuela hizo inscribir su nombre en la tumba que mi madre, sin duda, fue a visitar, colocando con posterioridad la fecha cabal de su muerte.

—Sí, mucho más —había dejado de llover, y, aunque sólo faltaba un cuarto de hora para la salida del tren, apenas había nadie en la estación. El señor Huesca me ayudó a meter la maleta—. Pero ya le digo que yo no volveré por aquí. Y, al fin y al cabo, es de justicia.

—Pero ¿cuánto más?

—Mucho más: el nombre, la existencia. No tiene usted más que decirla: «Lo siento mucho, pero ese pagaré fue repuesto en su día por su propia abuela, señorita Benzal.»

—¿Señorita Benzal?

—¿Pues qué cree usted que está esperando? ¿Qué necesidad tenía de inventar ningún sobrino? Dígale que le enseñe otra vez el pagaré y haga el favor de leerlo sustituyendo el Burrero por su sinónimo: el Amante, el Prófugo, el Marido... Dígale que le enseñe el vaso y trate de pensar a qué corresponde esa E, tallada por un indio. Usted no creía en la ruina, usted no cree que cuando llega nada, nada, vale más de doce mil pesetas. Ahí lo tiene: es lo que una madre arruinada pide por un hijo enfermo, delirante y alcoholizado a su antigua amante desquiciada. ¿No le parece bastante, señor Huesca?

DUELO

Uno

En el silencio, en la mañana instantáneamente más tranquila, clara y remota, coloreada de nuevo y vivificada año tras año por el sonido impersonal de una lacónica mención necrológica un mismo instante intemporal parecía perdurar cristalizado en el gesto de severa, ostensible y, al parecer, sincera memoria, cuando el indiano doblaba con cuidado el papel para volverlo a guardar en la cartera.

El otro no le llegaba a los hombros.

No le explicaba más. Recibía un poco de dinero por ello y se limitaba a estar allí, a esperarle, a cobrar, a volverse de espaldas para santiguarse, a ayudarle a montar para acompañarle de nuevo, siguiendo al borrico a pocos pasos de distancia.

—Descanse en paz.

—Está bien, Blanco. No te he pedido tu opinión. Puedes largarte, si quieres.

Pero no se iba. Era tan imposible que ni siquiera hacía falta saberlo; ni buscarle un sentido a la frase del amo.

Todos los aniversarios de la muerte de Rosa había llevado a su tumba la ofrenda de una rosa marchita, cortada tiempo atrás, que depositaba allí sin más explicación ni ceremonia, sin quitarse el sombrero ni arrodillarse para ello.

Al parecer, nadie tenía derecho a poner en duda la sinceridad de tal memoria ni a comprender el íntimo significado de aquella flor (la coincidencia de las dos rosas era lo único, necesariamente marchita y tan descolorida como si hubiese permanecido muchos años bloqueada en el misal de una niña) aunque sólo fuera por el hecho de que el día en que murió Rosa estaba la estación tan adelantada como para no permitir que las rosas abundaran en los jardines.

Aparecía recortado en la loma y precedido del criado, en torno a una nube rosa de polvo temprano, sentado en la grupa del borrico balanceando las piernas como una niña. Inmutable, provocativo, vestido con aquel único traje negro y cubierto con el sombrero de fieltro negro y alas anchas, sucias de grasa, manteniendo tiesa e inmóvil —como un San José el nardo cristalino— aquella ofrenda marchita envuelta en fino papel transparente de color amarillo limón.

Vadeaba el río —casi seco en tal época—, mientras el pequeño Blanco saltaba por las piedras. Antes de subir el repecho del cementerio desmontaba de un salto —más propio de una mujer—, en virtud del cual y por acción contradictoria parecía brotar de la tierra un hombre enlutado y desproporcionado que sólo por la cabeza se correspondía con el jinete anterior, compuesto y arrogante y defectivo, triunfando desdeñosamente sobre su figura poco afortunada, para avanzar hasta la tumba —un cerco de ladrillo y una caja de tierra negra y una cruz de hierro forjado con la palabra ROSA pintada de purpurina—, donde depositaba la flor sin arrodillarse ni quitarse el sombrero, volviendo a doblar el papel para guardarlo en una cartera de tamaño octavo que contenía dos duros.

—Rosa —decía todos los años.

—La Rosa.

—Está bien, Blanco. Ya lo sé.

No sabía qué era lo que él sabía. Se quedaba detrás para descubrirse, dando vueltas a una pequeña boina descolorida, semejante a una seta —y, girando y encogiéndose un poco cuando el amo doblaba el papel, santiguarse rápidamente para que no se diese cuenta. Pero él lo sabía.

—Blanco.

—La Rosa.

—Está bien, Blanco. Ya está bien. Nadie te ha obligado a venir.

—Don Lucas.

—Tú no sabes lo que es esto —torcía la cara mirándole de soslayo, dándose dos golpes de pecho—. Tú no tienes entrañas.

—Don Lucas.

—No hace falta que me digas lo que estás pensando. Puedes largarte si quieres. Ella te ve desde el cielo.

Entonces no podía mirarle. Más que prohibido, era imposible. Decía lo mismo todos los años, encendiendo un cigarrillo, lanzando a través del humo una profética mirada a la dormida Jerusalén, bajo el sombrero ligeramente ladeado con una prestancia chulesca pero severa, altivo y compuesto y ceremonioso, despidiendo un fuerte olor a brillantina barata.

—En adelante te quedarás en casa.

—Don Lucas.

—Cállate de una vez.

No sabía por qué, qué era lo que estaba bien. Sin duda, aquello: el corto viaje anual, la ofrenda tradicional, la obediencia a un recuerdo, ya que no el propio recuerdo definitivamente colgado ante sus ojos a lo largo de aquel único macilento instante en expansión que ni las flores marchitas, ni los perfumes retraídos, ni los ladridos lejanos, ni las noches de mayo entre las calientes paredes de acero que hostigaban su deseo, ni las luchas hasta la quinta o décima sangre regando el pecho desnudo, corriendo y llorando por los pasillos en la penumbra, podían alterar.

—Don Lucas.

—Te he dicho que te calles.

—Es que me acuerdo de la Rosa.

—Me estás abriendo la herida. Mejor es que te calles, te lo advierto.

Siempre decía lo mismo, el hombre pequeño tenía que bajar la vista. No era preciso preguntarse por qué. Sabía que entonces el indiano le miraba de soslayo, lanzando el humo al aire con teatral satisfacción, una vez que los gestos y palabras del ceremonial que año tras año conmemoraba su triunfo, se habían repetido con tácita, lacónica, no ensayada y cabal exactitud.

Bajaba la vista y aguardaba a que se alejara, dando vueltas a la boina. Se santiguaba otra vez. Cuando en la orilla del río el indiano se volvía, él se volvía también. Más que un adiós a la tumba era la comprobación de un hecho: su cuerpo —un recuerdo trasero— también estaba allí, tranquilamente sepulto bajo un montón de cal, el silencioso incoloro instante que emergió del bostezo de la difunta para dar un sentido fatídico a todos los atardeceres suspensos y todos los ladridos lejanos y los deseos ahogados en la oscuridad de la caldera; una cara sesgada, violentamente quieta y partícipe en un punto de la irracional quietud de una mula, carente de dolor y deseo; violenta y quieta y desorbitada, exhumando en un momento de silenciosas e imperceptibles sacudidas una suprema y desesperada aspiración a sacudirse la rienda.

—¡Blanco!

Una vez más le ayudaba a montar, enlazando sus manos para ofrecerle un estribo. Nunca se le ocurrió mirarle en aquel momento. No hacía falta saber que era imposible. Había sido siempre así y así habría de ser mientras su amo fuese su amo; esperaba encorvado a que apurase el cigarrillo, y ni siquiera le estaba permitido (no por el amo, sino por él mismo, sancionado por la costumbre anual de la que él mismo era más que obediente, depositario) apartar sus manos para evitar que le cayese la colilla en ellas, aplastada luego por la alpargata blanca, recién pintada de albayalde.

Pero aquella mañana especialmente tranquila. Atravesaban el pueblo como si volvieran de un largo cautiverio, dejando a un lado el camino de Macerta para tomar una empinada callejuela arrabalera; una reja y una persiana verde y una ventana casi a flor de suelo, donde apenas entraba la luz, donde telas blancas y vainicas y bordados eran removidos del cesto y extendidos en el antepecho por una mano zozobrante, repentinamente quieta y cerrada como una almeja cuando los cascos del burro sonaban en los adoquines, la silueta de un sombrero detrás de la persiana, una mañana de junio. Inmutable, compuesto, semejante a una reproducción de sí mismo, tan frágil y desdeñable como pretenciosa y provocativa; un sombrero de grandes alas manchadas de grasa del que parecía suspendida la gran cabeza, enroscada a él como una bombilla al casquillo. Nunca había cambiado el atuendo ni la expresión; una cara truncada y definitivamente unida al sombrero (tal vez con un poco de goma de olor penetrante, una vez desaparecida la frente de cartón) con expresión de disgusto, como si aquel corto viaje anual obedeciera más que al cumplimiento de la devoción creada por él mismo a cierta diligencia anual obligatoria, el pago de la contribución sobre aquella rosa ajada surgida en su mano, idéntica a todas las precedentes, envueltas en un transparente papel de color amarillo limón.

—¡Blanco!

No parecía medir su estatura. Se detenían junto a la ventana sin un gesto ni una voz, como si dentro del ceremonial estuviera concertada aquella parada frente a la ropa recién lavada, el lagarto escondido entre los pliegues que olían a añil incapaz de moverse ante la sombra invisible y abrumadora del hombre, detrás de la persiana verde.

Volvía a desmontar al tiempo que un cigarrillo aparecía en su boca; una figura negra y roma detrás de la persiana, de insólitas proporciones cuando alzaba la persiana y asomaba la cabeza como si se tratara de su propia imagen deformada por un espejo cóncavo, un reflejo de nacimiento.

—Se llama Amelia.

—Está bien, Blanco, nadie te ha llamado. Puedes irte, si quieres.

El se quedaba atrás, arrimado a la pared con la cara vuelta a la pared. Cuando terminaba el cigarrillo levantaba la persiana con la mano. Blanco, la cara en la pared, cerraba los ojos.

—¡Blanco! Ven acá.

Se acercaba de espaldas, tratando de no mirar.

—Mira lo que hay ahí —le cogía del cuello y le obligaba a girar la cabeza: un cuarto donde el polvo se removía por la luz reciente, unos pliegues de ropa blanca que cubrían una silla baja, una nuca casi calva cuidadosamente cubierta con un plisado de cabellos grises.

—Toma. Esto es un regalo que te hago yo —decía, poniéndole una mano en el hombro (una boca de barraca), sacando luego la cartera con el papel plegado y dejando en sus manos los dos duros—. No hace falta que me lo agradezcas.

—Muchas gracias, don Lucas.

Todavía mantenía en alto la persiana, materializando una indefinible combinación de brillantina, y luto, y fortaleza, y desprecio tan superficial y desdeñable que trascendía a su propia persona para situarse arrogante en los dominios del cartón piedra o el anuncio de un carminativo o unas pastillas contra el mareo; encendía otro cigarrillo lanzando el humo a través de la reja y removiendo el polvo de aquella ventana recóndita donde había encontrado refugio y oscuridad el pequeño e inofensivo animal, entre pliegues y pliegues de sábanas, y manteles, y juegos de té, y mañanas, y pañales inútiles que habían constituido su excremental segregación a lo largo de sus últimos treinta o cuarenta años. Treinta o cuarenta años o los que fueran —había de pensar el indiano mirando fijamente la nuca, con una calva rosa—; treinta o cuarenta veces la dosis normal de ese preparado terrible vertido sobre la ardiente juventud para calmar su acidez; veinte o treinta veces la gota calmante cayendo sobre la retorcida víscera, destruyendo su color y estirando su piel; treinta veces todo ese tiempo de disolución para aniquilar las grandes palabras en el aire y los grandes y repentinos caprichos, y los grandes y cercanos secretos, y reducir la realidad a una cabeza de piel craquelada y un pelo gris atusado con agua en torno a la que tiempo atrás —con reflejos y perfumes y ondulaciones marinas— se urdieron los primeros sueños, sonaron las grandes palabras. Una cabeza de barraca, truncada y escorada por una mueca de primitivo y permanente desdén; un traje negro que brillaba gastado y unas alpargatas inmaculadas, cuyas cintas blancas, estiradas y planchadas, destacaban sobre los calcetines de algodón negro, probablemente adquiridos un día de calor en una confusa, heteróclita y medio oriental droguería americana, al tiempo que un saco de café y una caja de cigarros.

Antes de soltar la persiana (y la mano se escondía entre la

ropa, como una cucaracha debajo de un zócalo, antes incluso que la luz la atacase) arrojaba a su cabeza la colilla.

—¡Blanco!

De nuevo le ayudaba a montar, temblando, mirando al suelo en un instante de temor formado tiempo atrás, mantenido y repetido cada año dentro de los límites del ceremonial.

—¡Jeee, burro! Arre, burro.

El otro le seguía detrás, tratando de alcanzarle.

—Don Lucas..., don Lucas...

—Vamos, es tarde.

—Don Lucas...

—Vamos, Blanco, he dicho que vamos. Dame ese dinero, será mejor que te lo guarde yo.

Dos

La casa se hallaba en las afueras del pueblo, en un lugar a trasmano solamente visitado algunos domingos templados por unas pocas parejas de excursionistas. Una quinta residencial desplazada de lugar y de estilo que nunca —pese a la buena voluntad de tantas balaustradas, y florones, y terrazas, y gozosas pérgolas que allí amontonó un maestro aragonés, famoso en Región hacia los años 80— acertó a representar el papel de formal frivolidad a que sus infantiles amos un día la destinaron; rodeada de una pequeña huerta baja, que hoy es una selva de corpulentos matorrales; erigida sobre una terraza de años ha desaparecido jardines italianos trazados con macizos de boj y mirabel muy pronto devorados por la violenta jara y el correoso y enfermizo yezgo, donde se ocultaba una caldera abandonada color minio y unas aletas de automóvil, obsequios de la guerra. Empero se conservaba todavía un antiguo cenador estilo floreal, un montón de herrumbre junto a una fuente con el agua más pura y fría de la comarca dignificada en otro tiempo por leyendas paganas, y cerrada por cuatro higueras estériles, donde aún se jugaba a prendas y se abrían sandías aquellas tardes de meriendas dominicales que preludiaban el sacramento, y donde algunas veces colgaban bragas rosas y delantales de niños gitanos.

Un día empezó a salir humo, antes de la muerte de Rosa.

Se pensaba que un algo remanente que a duras penas podía llamarse orgullo le había impedido colocar un cartel de venta, aun cuando la casa hubiera pasado a la propiedad de ratas y gatos famélicos y esporádicos mendigos que dormían junto a la caldera, y familias de gitanos que extendían sus mantas comidas por los ratones en las oxidadas pérgolas.

Pero un día se encontró la entrada cerrada por un alambre espino sujeto a dos tablas.

Se había obstinado en no manifestar públicamente la puesta en venta de la casa, aun cuando los restos de la familia —dos mujeres de diferentes edades, cuya mutua relación nadie era capaz de abonar— se vieron obligados a retirarse a dos habitaciones sombrías de una casa arrabalera, pintada de azulete, que el doctor Sebastián les había proporcionado por un alquiler de unas pocas pesetas mensuales. Ella había rehusado desde un principio la hospitalidad del doctor, a quien ni siquiera atendió, ni vio, ni escuchó, ni toleró que le acompañase y le ayudara en la mudanza, una pálida y boreal mañana del invierno de mil novecientos treinta y tantos. El propio doctor hubo de contentarse con verla a través del cristal: un carro cargado con dos arcas grandes como dos sarcófagos, dos testeros de cama metálica y un rollo de colchones, a donde se agarraban las dos víctimas zarandeadas por los bandazos del carro, mirando al frente con la altiva y jaque y pretenciosa indiferencia de un par de aristócratas condenadas por el terror, conducidas a la guillotina. Tampoco le abrió la puerta una vez instalada en la nueva casa, continuando la labor —junto a la ventana— que había suspendido por unas pocas horas aquella misma mañana para recoger los bártulos y cerrar la casa definitivamente, por primera vez desde el origen de la labor.

Era algo más allá o más acá del orgullo, una suerte de irresponsable y anacrónica indiferencia que le impedía toda relación y cualquier movimiento, por lo menos abrir la puerta e introducir en una casa a un caballero —por mucha que hubiese sido su amistad con la familia—, cuya visita a esas alturas ni siquiera podía estar justificada por razones profesionales. Ni contestó —la cabeza color lana caída sobre su pecho, un destello de los lentes de plata— al devoto saludo conservado intacto desde los tiempos del Casino, haciendo referencia al intacto estado virginal, puesto un día a prueba; otro, en entredicho.

Pero tampoco, que se supiera, había recibido nunca una oferta de compra.

A partir de aquel momento se empezó a sentir en el pueblo cierta ola de afecto por la señorita Amelia, una de las más significativas reliquias de las grandes familias, de un pasado que incluso había perdido la facultad de ser tema de conversación en las vespertinas tertulias y los juegos de cartas invernales. Ahora, desalojada de su arruinado castillo y expuesta en una ventana a la pública luz de una bombilla mortecina en una encrucijada arrabalera —pisadas de caballos y ladridos lejanos y gallos que cantaban por el estiércol—, era capaz de despertar entre los nuevos nombres (los nombres que no decían nada y que en diez años se habían hecho sinónimos del poder a fuerza de recorrer todas las presentes y futuras secciones de periódicos regionales y provinciales, desde las presidencias de jurados y concursos de atletismo y juegos florales hasta las delegaciones provinciales, pasando por todas las presidencias de duelos) esa mezcla de compasiva curiosidad y reservada satisfacción que provoca un fakir en un escaparate, para reclamo de unos almacenes.

Ella nunca admitió los encargos. Parecía que su misión en esta vida era coser y bordar indefinidamente, deshaciendo y reanudando con la ciega energía de un Sísifo la labor de 1930 ó 40 ó 50 en aquellas largas temporadas de penuria en que era imposible adquirir nuevo género. Fue Rosa quien, en la idea de no perturbar la quimérica y frágil existencia de la señorita Amelia con un nuevo problema económico, tuvo que aceptarlos inventando historias de apresuradas prometidas compañeras de novena y falsas catequesis para las que la fecha de la ceremonia era todavía, como en los buenos tiempos del Casino, pura cuestión de ajuar.

Rosa era una muchacha alta y nariguda y desprovista de gracia, que a la sazón había entrado en una misteriosa edad, no joven ni madura, ni bien conservada ni avejentada, de marcado carácter piadoso. No tenía edad, exenta del paso de los días y los años por obra y gracia de un eterno hábito negro y un delgado cinturón de cuero negro, un buen número de rosarios y triduos que la hicieron acreedora de la plena indulgencia terrenal. Había nacido junto a la señorita Amelia, de manera espontánea, y a su lado había surgido días después, vestida ya con el hábito negro y rematada por el moño, despidiendo un tufillo personal y adoptando la postura de la máxima supervivencia —indiferentes, inmemoriadas y quietas— para formar la polvorienta, hosca y sobresaturada estampa de una ayer inmóvil e intangible, completando, por un lado, la insuficiente realidad de todo un pueblo desarraigado, impugnado, desde sus dos sillas bajas de esparto, la sentencia del tiempo irreflexivo y torpe, entre aromas de ropa blanca recién lavada y suelos de estiércol y pisadas de caballos, muy lejos de las luces fluorescentes y los aparatos de radio y los camiones de pescado. Un resto de otra edad, un sepulcro andando —se había dicho en Región—, el último vástago de toda una rama degenerada, reducida hoy al estado fósil por no haber sabido abandonar a tiempo aquellas ideas de nuevo cuño que un día germinaron y encumbraron la familia. Una pobre tonta engañada por una sociedad en quiebra y obligada ahora a saldar la cuenta a los nuevos acreedores, hombres y nombres de nuevo cuño que sabían olvidar, que a sí mismos se consideraban tan lejos del orgullo como para saber perdonar y socorrer a una pobre vieja ñoña, tan necesitada de la consideración y la estima de sus vecinos como de las quince o veinte pesetas que podría sacar de las toquillas mañaneras para las embarazadas de turno. Y en verdad se habían creído superiores en otros tiempos, cuando ni siquiera sabían sus nombres ni se atrevían a aparecer en público ni pregonaban ideas de reivindicación social que nunca alimentaron.

Un día se supo que tampoco era orgullo lo que le quedaba. Probablemente no recordaba nada de lo que podía enorgullecerse ni se había formulado jamás una comparación entre sus semejantes; no había llegado a comparar más que algunos colores muy próximos: rosas y cremas crudos y anaranjados, diferentes clases de hilos y lanas guipur para encajes reticella y Richelieu, y un día —algo más tarde— la figura recortada detrás de la persiana verde con un tránsfuga del ayer. Hubiera necesitado demasiada memoria y buena voluntad para mantener semejante orgullo; era como mantener la casa de Nueva Elvira, tres plantas, y huertas, y jardines, y establos, y caballerizas, y salas de cazadores, y fuentes, y chimeneas, con la pensión vitalicia que, a nombre de Rosa García, su padre le dejó en un banco de Macerta, y que Rosa estaba encargada de cobrar una vez cada dos años para no consumirla en los doce viáticos anuales. Sin duda, su cabeza estaba hueca (delegada en el interminable coser y bordar y pespuntear las interminables sábanas y juegos de mesa que pasaban por su regazo —como hubieran pasado chapas de palastro por una cizalla eléctrica— para ir a aumentar el contenido de dos arcones de madera trabajada protegidos con centenarias bolitas de alcanfor y papeles de periódicos y anacrónicas y descaradas maculaturas que aún voceaban en el fondo de la caja todas sus guerras, y victorias, y sus crisis, y sus catástrofes, y todas sus solemnidades, y homenajes sin fin, y sucesos sangrientos, y centenarios, y coronaciones marianas, y ecos de la provincia, y discursos inaugurales, que aún trataban de salir a la superficie y abandonar el vergonzoso cautiverio de un arca arrinconada, destacando sus letras sobre las planchadas sábanas) transferida de los débiles pliegues cerebrales a los blancos pliegues de la ropa impoluta atesorada y protegida en dos arcas que constituían todo su patrimonio. Un antiguo olor a alcanfor, una mancha ocre, casi rosa, en uno de los pliegues cimeros. Pero eso fue más tarde.

Antes se supo que la casa no estaba en venta no porque aún quedara un remanente de orgullo que la impidiera poner el cartel, sino porque desde mucho tiempo atrás, antes de la mudanza, una parte o la totalidad de la finca no le pertenecía. Siempre se había dicho que, aun cuando su padre no la había dejado un céntimo al morir, al menos había legado una finca que, bien administrada, le hubiera permitido algo más que un buen pasar para el resto de sus días.

Cuando murió su padre —los que le habían conocido (y sin dejar de considerarse sus amigos, habían dejado de frecuentar la casa) encargaron, a sabiendas de que en su casa no iban a encontrar un clavo, una caja para un hombre de 1,80 de talla; debajo de la cama mortuoria había lo menos un centenar de botellas vacías, y en ella, apenas cubierto con una sábana, con la misma indumentaria y postura con que exhaló su último suspiro, el cadáver del viejo Gros del tamaño de un escolar, un sonriente y colorado esqueleto cubierto en parte por una delgada piel con manchas rojas, rota en el cuello y en la barbilla; cuando lo depositaron en la caja sobraban más de dos palmos, y para evitar que bailara durante su transporte tuvieron que rellenar el hueco con unas cuantas pelotas de papel que la señorita Amelia —sin levantar la vista, sin abandonar la labor— les autorizó a coger del arca donde ella las guardaba; ella no abandonó su habitación en la planta baja; no les abrió ni les saludó, vuelta a la luz cuando entraron por el papel, sentada y reclinada sobre la ropa, la mano roja pequeña moviéndose bajo la cabeza color lana detrás del cristal cuando la caja, a hombros de unos cuantos verdaderos amigos, se perdió de vista— solamente Rosa asistió al funeral.

A partir de aquel momento comenzaron a correr por el pueblo, entonces agonizante, toda suerte de historias sobre la familia Gros. Se decía que ella era una santa; su padre, un monstruo. Su padre, un hombre débil; ella, la encarnación de la crueldad; su padre, un histérico, comido por la envidia, un histérico de pueblo; ella, una resignada, arrastrando la resignación hasta los límites de la crueldad. Al parecer, padre e hija habían suspendido toda relación a raíz de un acontecimiento pueril, inadvertido incluso para aquellos que hoy lo contaban al detalle en la reposición de un drama de 1910: ella, la esquiva y atolondrada heredera, abandonó la celda de la virtud para buscar la compañía de un cazador de dotes, una tarde de paseo por el camino de Macerta, ensayando los primeros lances; los primeros y balbuceantes giros y artificiales sorpresas ante un hombre moreno que acababa de inventar la sonrisa, una mirada sombría y agresiva, hablando de sí mismo y de las grandes pasiones con singular aplomo y gravedad. Y al instante siguiente su padre, enmarcado en el umbral de su habitación (su hermano, el violento, detrás, clavaba sus ojos a la altura de los hombros de su padre). Y al siguiente, una ardiente noche de lágrimas. Y al siguiente, un intento de fuga. Y un día, unas voces de noche, una entrevista clandestina, un cambio de reliquias y un principio de juramento que había de provocar la segunda fuga abortada. Y de repente, sus puños golpeaban furiosamente la puerta cerrada, mientras su hermano, el violento, corría con sus perros hasta derribar en el camino al fugitivo prometido; las lágrimas en el suelo; el dolor en el cuello y el hambre; la luz debajo de la puerta y los pasos que volvían por la alfombrada escalera, sellando una era de dolor: un primer pliegue de un velo impoluto depositado con cuidado funeral en el fondo de un arca tan profunda como una fosa donde descansaban los no-restos, los gestos frustrados de un doliente ayer, la relación de las ilusiones fallidas a la memoria que se negaba a considerarlas.

No se trataba, pues, de orgullo: eran unos cuantos créditos firmados por Tomás Gros y comprados al veinte por ciento de su valor por una enésima persona a los antiguos acreedores —desde los tenderos de ultramarinos hasta los banqueros de Macerta—, contentos de haber salvado el sesenta por ciento de su dinero, abonable en dos años, sin necesidad de provocar el desahucio y la venta pública de los bienes de Nueva Elvira en vida de la señorita Amelia. Ella no les recibió. Eran ocho o diez, sin acompañamiento notarial, que estimaron oportuno retirarse y volver a guardar sus pagarés cuando Rosa abrió la puerta y un tufo a podredumbre les alcanzó las narices: unas sillas sin patas tiradas por el recibidor y un despojo de gasa agujereada trataba de suplir la ausencia de cristales en el ventanal de la escalera, hinchándose con la brisa vespertina para medir como un balón de oxígeno la agonía de la casa, tanto o más elocuentes que el informe de un tasador oficial de la Caja de Ahorros.

Cuando el doctor Sebastián y el oficial del Juzgado fueron a visitarlas, solamente lograron hablar con Rosa (un hábito negro, el peculiar aroma de su virginidad). Ella debió comprenderlo y se lo repitió a sí misma —no a la inteligencia desaparecida ni a la memoria cerrada con llave, sino a las pequeñas manos rojas que por un instante suspendieron el trabajo—, se lo dijo; para colocar en sus manos abiertas la bobina de lana nueva con que había de formar una nueva madeja, como toda respuesta.

No hubo lanzamiento. Se dijo que el nuevo propietario respetaba la presencia de la señorita Amelia como la habían respetado los acreedores de su padre. Pero un día salieron, montaron en el carro y atravesaron el pueblo, bamboleándose, con la mirada estúpidamente clavada en el frente, tranquilas y tiesas como dos imágenes paseadas en procesión por un gremio de borrachos, para ser entronizadas en la nueva enjalbegada capilla arrabalera de donde habrían salido cinco o diez o mil kilómetros de sábanas bordadas, si, como decían las curiosidades de los almanaques, se hubieran colocado una detrás de la otra.

Tres

Antes de abrir la puerta se escondió tras la jamba.

—Retírate de ahí.

Dentro se oyó moverse un bulto torpe, al cruzar la puerta en la oscuridad.

Dejó en el suelo la lámpara de carburo. Su sombra agigantada oscilaba en la pared, un corredor de altos techos donde se perdía la silueta del sombrero. Sus manos estaban vendadas.

—Sal de ahí. Te he visto por el agujero.

Del otro lado de la puerta se oía su respiración entrecortada, sentado de cuclillas tras el quicio, esperando que la puerta se abriese.

—Sal de ahí, te he dicho. Sé hombre —le dijo, a través del quicio.

Luego se quitó la chaqueta y la camisa, que dejó con cuidado en el suelo. Acercó el oído al quicio; el otro contenía su respiración; la luz de la lámpara le dio de lleno descubriendo una profunda e insostenible atención; los ojos pequeños incrustados en la cara, repentinamente inmovilizada por un resorte interior a punto de saltar para iniciar el salto. Conservaba el sombrero puesto —el olor del carburo dominaba a la brillantina—, ligeramente ladeado con tétrica chulería, que imprimía a su cara inmóvil un sello de falsa pero irreductible calidad, como una careta de cartón en la que se concitaba el horror de la mirada con el primor de unos pocos mechones de pelo plateado, semejante a virutas metálicas para fregar cacerolas, untados de brillantina.

—Sé hombre —repitió.

No movió los labios para decirlo. De detrás de la puerta el otro hizo un ruido, hubo un crujido y la puerta se abrió de un golpe enmarcando al indiano con los puños en alto y la cabeza baja, en actitud de lucha. Llevaba los puños vendados.

El bulto corrió hacia el rincón. Antes que sus ojos lo distinguieran su olfato lo había descubierto: sucio, húmedo, exhalaba un intenso olor de leche agria que predominaba sobre la humedad de la penumbra (como si al fondo de la habitación durmiera un bebé), mugiendo en el rincón y mostrando al pálido reflejo del carburo —antes que unos ojos y un cuerpo y una cabeza humana— una fila de dientes blancos que temblaban ligeramente.

—Vamos a ver si esta vez te defiendes como un hombre.

No avanzó. Permaneció esperándole, al tiempo que cerraba la salida con el cuerpo, el sombrero erguido, unas piernas pequeñas y recias y unos pantalones negros sujetos con una cuerda y una arremangada camiseta de cuello cerrado, exhibiendo los brazos levantados con la actitud de un cartel pugilístico, como si encontrara un siniestro placer en contradecir su aspecto común (severo y huraño, enfundado en un sobrio traje negro, que paseaba solitario por las veredas del monte).

—Vamos, atrévete. Hoy tienes tu oportunidad.

—Hoy no. Hoy no.

—He dicho que hoy tienes tu oportunidad.

—Hoy no, don Lucas.

—Hoy te ofrezco la oportunidad de tu vida. Mucho dinero. ¿Entiendes lo que es eso? Mucho dinero.

—Don Lucas.

—¡Vamos! Pórtate como un hombre. Intenta salir.

—Hoy no puedo.

Dio una patada en el suelo, el bulto brincó.

—Estoy cansado, don Lucas. Mañana.

—Levántate si no quieres que te levante yo. Tú verás.

—Estoy cansado, don Lucas. No he pegado ojo en toda la noche.

—Te lo advierto, luego no te quejes. Voy a contar hasta diez: una, dos, tres, cuatro...

—Hoy no puedo, de verdad.

—Vas a cobrar.

Avanzó tres pasos, levantó una pierna. Entonces el bulto saltó (una fila de dientes blancos, una cabeza mojada, la carrera del ojo trazando la línea en la penumbra cuando el bulto se golpeó en el quicio), echando a un lado al indiano. Le agarró de la cintura y volvió a golpearse en el quicio hasta soltarse de su mano, corriendo por el pasillo. Se detuvo en la puerta, cerrada por una barra de guarnición; allí estaba el indiano, los puños vendados, el sombrero negro perfectamente tieso, los ojos pequeños que pugnaban por abandonar sus órbitas para clavarse en su cara como dos proyectiles sujetos por intolerables resortes.

—Tienes que luchar como un caballero, imbécil. Como un caballero, ¿qué te has creído tú?

Estaba jadeando. Levantó la mano, incapaz de hablar tratando de prorrogar la pausa. El indiano la apartó de un manotazo y le alcanzó en el carrillo. Su cara se contrajo como un muñeco de goma estrujado por una mano infantil, conservando empero los grandes y redondos ojos, la mirada quieta, serena, tan ajena a la visión como atenta al golpe.

—A ver si entiendes de esta forma —y dio un salto atrás, los puños en alto protegidos con vendas americanas.

Luego su mirada volvió lentamente a la superficie, su brillo reducido y concentrado por las sombras de una profunda, absorta y antigua meditación.

Al segundo golpe en el cuello, el otro bajó la cabeza, metiendo el vientre. El indiano le golpeó en la nuca.

—Así no, idiota. Levanta esa cabeza si no quieres que te la levante yo.

Levantó la cabeza; en un momento vio el sombrero, sus ojos pequeños y penetrantes, el arranque de su sonrisa en los labios plegados de invulnerable y espúreo cartón. Una cabeza que bien podía encontrarse sobre el testero de una barraca misteriosa, la mandíbula inferior animada de un movimiento mecánico para anunciar en la noche la Gruta de la Muerte; un puñetazo en la frente, que le obligó a esconder su cara en las manos. Don Lucas le cogió las muñecas con sus puños vendados:

—Vamos, Blanco, o luchas como un caballero o te vas a la calle.

—No estoy bueno, don Lucas. No estoy bueno. Mañana.

—He dicho que vamos.

No había levantado la cabeza cuando le largó un golpe al costado. Luego otro le alcanzó en el cuello. El sombrero no se movió, sus ojos se achicaron. Otro por el lado opuesto; el indiano se echó atrás.

—Así me gusta.

El otro no le llegaba a los hombros; corría a su lado golpeando en su costado y en sus brazos hasta que el indiano dio con la espalda en la pared, los brazos sobre sus hombros. El sombrero no se había movido; sus párpados estaban casi cerrados. El otro, con la cabeza en su pecho, golpeaba a ciegas en su costado y en la pared.

—Así, así me gusta.

Otro golpe le había alcanzado el botón del cuello, su sombrero no se había movido, pero sus ojos se cerraron más.

Al fin el pequeño hundió la cabeza en su estómago y el indiano cayó sentado sobre una silla que crujió, levantando una polvareda. Alzó una mano, jadeante, tratando de detenerle con el gesto, pero el otro volvió a embestir con la cabeza, golpeándole en el pecho. Dio un bufido. La silla rodó. El indiano abrió los brazos despejando la defensa del otro para alcanzarle en la cara; obligándole a retroceder. Pero el otro volvió a hundir la cabeza para agarrarse furiosamente a la cara de cartón, estrujando su pálida boca y abriendo sus órbitas.

—¡Marrano!

Luego fueron tres, cuatro, cinco, seis golpes precisos en la nuca, en las sienes y en la cara, que la mirada —reapareciendo inmóvil tras el golpe, como un arrecife tras la espuma furiosa, tranquila, invicta y sonámbula y puramente especulativa, perdida en un éxtasis más allá del reino de la visión, huyendo de la cara macerada hacia un punto de silencioso colapso— era incapaz de advertir.

Cuando el indiano se retiró —el sonido del viento en los agujeros de los cristales, la gasa desgarrada de delicada y morbosa materia que el polvo había aterciopelado, flotando exangüe como una bandera en honor de un cadáver desconocido, una noche de calor— el otro quedó en el centro de la habitación, mirándose los pies y bamboleándose como un pelele, chorreando sangre por la nariz y la boca.

—No creerás que esto ha terminado. No te darás por vencido al primer round —dijo allá atrás, atusándose las sienes y ajustándose las vendas; en las mejillas las huellas de los dedos de Blanco.

—Límpiate un poco. Te doy dos minutos.

Se había derrumbado a cuatro patas, mirando cómo sus propias gotas caían al suelo. El indiano se acercó, poniéndole una mano en la espalda; el sombrero estaba un poco echado hacia atrás mostrando en su frente una línea roja (achicaba y ridiculizaba su cara como si se hubiera colocado una redecilla femenina), dos líneas de sudor que se juntaban en su barbilla.

—Vamos, hombre. No ha sido nada.

El otro no podía hablar. Tuvo un escalofrío cuando el aroma de la brillantina se mezcló con la sangre. Sus manos temblaban. Sacudió la cabeza como un perro, un hilo de sangre corrió de sus narices hasta la oreja.

—Vamos, hombre, levántate. No ha sido nada.

—Don...

—Te he dicho que vamos.

—...agua.

—Déjate de aguas. Ya tendrás agua cuando acabes, no te apures.

—...agua... —sus brazos no le aguantaron más y su cabeza se desplomó en el suelo.

Abrió el grifo, en las manos trajo un poco de agua que derramó sobre su cabeza. Le pasó una mano debajo del brazo y le ayudó a incorporarse.

—Vamos, hijo, vamos. No es para tanto.

Tenía un párpado de color cárdeno, hinchado como una

nuez. La piel de la mejilla —estirándose con un rictus autónomo— le obligó a sonreír enseñando las muelas.

—Así me gusta. Que seas fuerte.

De nuevo quedó en pie, sólo balanceándose estúpida y grotescamente como un anuncio de específicos contra el mareo.

—Segundo round.

Con el revés de la mano —la venda suelta se quedó por un momento enrollada en su cara— le dio una bofetada (no un golpe de hombre a hombre, de poder a poder; tan sólo sus nudillos contra las muelas del otro, como las patrullas de dos ejércitos chocaban entre sí en una escaramuza local) que abrió su sonrisa hasta más allá de sus límites humanos, mostrando el vacío donde se escondía el animal.

Abrió el grifo, puso un cazo en el aguamanil. El otro sonreía todavía, apoyado en la pared, mostrando las muelas con la nuca en la pared y la sangre que corría por la barbilla.

Se quitó las vendas, enrollándolas con cuidado.

—No vales para nada. No me sirves de nada.

El otro no contestó. Todavía sonreía al techo y la comisura de sus labios temblaba de cuando en cuando.

—Lo único que puedo hacer contigo es jugar a la lotería.

Metió la mano en el cazo y le echó una rociada de agua.

—Te estoy hablando. ¿No tienes fuerzas ni para contestar a tu amo?

El otro le miró, volviendo lentamente la cabeza, absorto, lejano, sombrío, sonriente, tan ausente del amo como un mártir del verdugo.

—Ni siquiera puedes hablar. No vales para nada —dijo, arrojándole a la cara el agua del cazo; su mirada seguía quieta, impersonal, sombría como un arrecife que surgiera de las olas.

Un nuevo aroma le hizo volver en sí; allí estaba el indiano, el sombrero ajustado, sonriendo desdeñosamente mientras masticaba algo.

—¿No te gusta este empleo? A partir de mañana te podrás buscar otro mejor.

—Don Lucas...

—Otro mejor —dijo, sacando otro chocolate de la caja,

mirando el contenido de la caja cubierto con papeles calados imitando bordados, con una capa de polvo—. Yo necesito un hombre de verdad. Un hombre de verdad.

—Don Lucas...

—Chocolate de primera calidad. Un regalo que me ha hecho una chica que se interesa por quien yo sé —dijo, llevándose a la boca otra pastilla, acercándose para mirarle de arriba abajo—; una chica para un hombre de verdad.

—Don Lucas...

—Qué, ¿te gustaría que te hicieran esos regalos, eh? —dijo, metiéndole a la fuerza una pastilla en la boca; sus ojos se abrieron más—. ¿Te gustaría tener esa chica, eh?

El otro no pudo contestar, la pastilla todavía en la boca, mirándole absorto.

—Yo se la tengo preparada al primer hombre que...

—Don Lucas, yo le...

—No puedes ni hablar. Te molesta perder el empleo, ¿eh?

—Hoy me encontraba mal, don Lucas. No he dormido.

—No puedes ni hablar —dijo, metiéndole otra pastilla—. Yo necesito un hombre de verdad.

—No me...

—Un hombre de aguante. No una damisela como tú.

—Me encontraba mal, pero ahora estoy mejor, don Lucas —le metió otra pastilla—. Aborabodréguantádodologutéquiera —dijo, tragando—, don Lucas.

—No vales para nada.

—Ahora mismo, si usted quiere. Le aseguro que ahora mismo puedo aguantar todos los rounds que usted quiera.

—Cállate. Ni siquiera puedes hablar. Lo que yo necesito es un hombre de verdad, no una damisela.

—Tercer round, señor Lucas.

—Mírate al espejo. Lávate la cara, imbécil.

Cuatro

Pasó un invierno primaveral. Luego otro y luego otro. Y lo que un día hubo de parecer un gesto de elemental y sincera y un poco burda piedad había de convertirse en el tiempo en la ceremonia anual que conmemoraba el triunfo de la inocencia. Nada más que una rosa, una mancha y unas quemaduras en el pliegue número tantos de una memoria blanca y alcanforada, cerrada con llave.

Nadie podría precisarlo. Fue uno o dos años antes de la muerte de Rosa. El intervalo: unos pocos meses que para la figura color lana cruda —reducida de tamaño—, sentada de una vez para siempre en la silla baja de cuerda, habrían transcurrido sin números ni achaques ni ilusiones en el susurrante silencio de las telas recogidas y depositadas todas las tardes doradas y pardas como a lo largo de los otros veinte o treinta o cuarenta años anteriores en que diera comienzo la labor nunca concluida. Un invierno tan dulce que incluso pudo trabajar con la ventana entreabierta desde enero hasta julio.

La luz le caería como entonces: probablemente era atrasada. Sus ojos (una huella roja de los lentes y un callo en el índice derecho) no hacían sino seguir lo que sus manos ya sabían, el hilo que los dedos encallecidos —sin necesidad del pensamiento ausente, esfumado con el rastro de un primitivo y primer pretendiente del año de Mari Castaña, ahuyentado por unos pocos ladridos— doblaban, enhebraban y pasaban y cortaban, elevando, de tanto en tanto, la mirada hacia la nada, la ventana arrabalera; colocada allá por un gesto fortuito, una maldición arbitraria con que su arbitraria voluntad condenaba un cuerpo despechado en una edad remota que sin transición había engullido infancia y adolescencia y una tímida juventud avergonzada de su propio brote, sepultada por la voluntad bajo una losa de ropa blanca que alzaba la vista de tarde en tarde (un prurito del animal doméstico) para no ver ni mañanas, ni tardes, ni la llegada de los pájaros, ni el vuelo de las semillas, ni el paso de los carros mañaneros, ni las procesiones, ni las manifestaciones sindicales, ni los camiones nocturnos que quemaban gas-oil, ni las familias que un día huyeron subidas a los carros, ni las tropas harapientas que entraron victoriosas por la calle con la bayoneta calada y una manta enrollada al pecho, ni grupos silenciosos de hombres que no comían desde tres días atrás, ni grupos de segadores errantes que dormían al sereno con la mano en la segur, pero sí un hombre que todos los años por la misma fecha subía por el camino de Macerta montado en un borrico para fumarse un cigarro a su vera, partido en dos por el sol, y el ala del sombrero negro ladeado en su cabeza con un deje rotundo y chulesco.

Nadie le conocía de antes. No tenía más relación con el pueblo que el pago de la contribución anual sobre la parte de los terrenos de Nueva Elvira que había correspondido en la testamentaría del difunto señor Gros al pago de sus acreedores. La otra parte, Rosa, en ninguna ocasión había dejado de no pagarla.

En un principio se dijo que era el administrador. De qué y de quién nadie lo sabía, pero era el administrador.

Un día empezó a salir humo de la casa. Las dominicales meriendas campestres cesaron a raíz de la aparición de un alambre de espino y un cartel en la puerta de entrada, la cabeza de un enorme perrazo lanudo y sucio surgiendo de detrás de un arbusto para gruñir a toda muchacha endomingada.

—Calla, «Bulo», ven acá.

Echó a correr, pero el perro la alcanzó, derribándola en el suelo, olfateando sus brazos desnudos, su escote y su cuello, debajo del pelo.

Unas pisadas de alpargata. Detrás del matorral el busto de un hombre que frisaba los cincuenta (con la venia del sombrero), el formato de un antiguo y solitario y perenne desdén grabado en su cara de mayólica. Una piel curtida por un clima de ultramar, haciendo silbar las eses.

—Déjala, «Bulo». Ya está bien.

Hizo un gruñido profundo, ladró tres veces en dirección a la higuera donde un bulto se movió.

—Vamos, «Bulo», ven acá. Esta vez te equivocaste —dijo, mirando al cielo, aspirando ostensiblemente cierto aroma pasajero—. ¿Qué es eso, «Bulo»?

Como si jugara al ajedrez, adelantando el peón hacia el rey blanco para comerse su dama.

—Lo siento —dijo, sin salir de detrás del arbusto—, lo siento de verdad. Pero un día me lo agradecerá. El día que no sienta miedo de nada. Acaso también leyeron acá la fábula de los amigos y el oso. Vamos, «Bulo».

Al cruzar delante de la higuera se detuvo de nuevo.

—En cuanto a usted, seguramente leyó el aviso de la entrada. Ya sabe lo que le espera la próxima vez. Vamos, «Bulo».

Desapareció en un instante, un gesto de desdén. Cuando se volvió a mirarle ya estaba arriba, muy lejos, increíblemente lejos; un rabo alegre se ocultaba entre los matorrales y una figura negra subía en amplio viraje entre la luz de la tarde y la curva de la loma. Una vara que cortó de un golpe la rama de un espino.

Después se dio en llamarle el novio de Rosa. A partir de su muerte se trasladó definitivamente a las ruinas de Nueva Elvira —que un día había empezado a reconstruir—, arrastrando tristemente por los pasillos hundidos, las habitaciones sin techo, los sótanos sombríos con un palmo de agua, una existencia desengañada y huraña sin otra compañía que la de aquel pequeño y nervioso y retraído Blanco, de aspecto inquieto y desconfiado —un pobre diablo sin casa ni familia conocida, que, antes de la llegada del indiano, andaba detrás de las tapias espiando a las mujeres—, que el indiano, quién sabe si llevado por cualquier idea de redención adquirida en un país extraño, una tarde de crisis, había encontrado vagabundeando por los jardines de Nueva Elvira y había tomado tal vez para su servicio o por calmar sus frustradas ambiciones paternales o para ambas cosas, buscando en el tiempo el calor de una familia devota a su persona, y la de aquel perrazo enorme y sucio especialmente adiestrado para perseguir las parejas domingueras. Se dijo que era un hombre joven, prematuramente envejecido, poseedor de una cuantiosa fortuna, que en su día había puesto a los pies de Rosa para tratar de alegrar su corazón de madera.

Pero Rosa no era de este mundo. Rosa la pobre, Rosa la buena, Rosa la humilde, la del corazón grande (del tamaño de una sandía), Rosa una santa, criatura del cielo, pedazo de pan: Rosa la pobre, Rosa la buena, Rosa la tonta.

En un tiempo empezó a ser el comentario de las mujeres que exageraban la indiferencia por tratarse de un asunto en el que su sexo apenas tenía participación. Porque, al fin y al cabo, a Rosa no la consideraban nada, ni siquiera de su sexo. Era un hombre rico, solo, que había hecho su fortuna en América y volvía a su tierra para descansar el resto de sus días; que había visto en Rosa una chica seria, humilde, sin aspiraciones de ninguna clase, que llevaría su casa a la perfección y, quién sabe, quizá le podría dar hijos, si era eso lo que él andaba buscando. Pero se dijo, asimismo, que Amelia se había opuesto por egoísmo, porque desde su llegada al mundo estaba acostumbrada a frustrar todo empeño de salir de la cáscara, reducida cada día un poco más —el egoísmo crece de consuno con la resignación—, asistida por Rosa (con un corazón como una sandía, que podía dejar de latir en cualquier momento), quien le hacía la comida y le fregaba los suelos y le lavaba la ropa, porque su egoísmo le impedía apercibirse de que si, al menos, podía vivir —comer verduras y patatas cocidas, coser durante diez horas al día sábanas y equipos baratos de novia— era, sin duda, gracias a Rosa y, en los últimos tiempos antes de su muerte, a aquel novio o pretendiente o protector desinteresado que le pagaba diez y veinte veces su valor unos pañuelos que se hacía bordar para ayudarlas a subsistir. Que había comprado o desgravado o liberado la finca de Nueva Elvira —cuya restauración había suspendido a raíz de un tímido, involuntario no de Rosa, obligada por la señorita Amelia— para ofrecérsela como regalo de boda que ella hubo de desbaratar, aunque sólo fuera por el involuntario, mimético deseo de morir en el lugar al que las circunstancias familiares la habían arrastrado.

Ya nunca más fue administrador. La finca pasó por otro momento de transición, esporádicamente visitada por gitanos y vagabundos y silenciosas parejas de edad y condición limítrofe que rondaban al amor sin decidirse al sacramento, no obstante las visitas del indiano, que allí volvía algunos sábados —sobre todo en los meses que siguieron a la muerte de Rosa—, acaso para destruir de una vez —las largas y delirantes noches por los pasillos sin techo, los jirones de gasa que aún colgaban de algunos cimeros, los sótanos con un palmo de agua, las escaleras hundidas, donde corrían y gritaban las ratas, las luchas a torso desnudo por las galerías sin cristales, los lamentos nocturnos de un Blanco enjaulado en una caldera, secándose las lágrimas y apretando su cara tumescente y morada contra el hábito negro de olor peculiar que aún cubría los huesos crujientes, mezclándose con los ladridos lejanos de un perro débil— los sueños patriarcales que un día alimentó a la vista de aquella casa, en compañía de la mujer idónea.

Se había hecho un nombre. Un nombre de personaje desengañado y huraño, sin la juventud necesaria para encajar el último golpe, sin la edad suficiente para restarle importancia. Un hombre al que, tras luchar y vencer a lo largo de una vida cruel y azarosa, se le negaba el último, único y más justo premio, al que acaso desde el primer instante, si es que durante sus tropicales años de lucha había tenido un instante libre para pensar en consagraciones, había consagrado todo su esfuerzo. Un hombre, viciado por la lucha, que recurría a la lucha para borrar el sueño que años atrás guió y justificó toda una vida de lucha —noches de solitario horror, y ladridos lejanos, y voces humanas, y cristales rotos, y precipitadas carreras espasmódicamente detenidas y abortadas puertas adentro con una sonrisa en suspenso, súbitamente desaparecida en la noche ardiente para volver a aflorar en Región, sobre un tapete de juego con cuatro naipes en las esquinas, en un comentario pasajero:

—Pobre hombre. La tonta de Rosa.

Cinco

—Por favor, sírvase transmitir a su señora tía mis más respetuosos saludos.

Se quedó parada. No había nadie. A unos pocos pasos, debajo de un portal cerrado, vio un par de alpargatas blancas muy juntas.

Hizo una inclinación de cabeza, sacando la cabeza de las sombras para avanzar la cara (un monstruo en su urna morada) con una reverencia arcaica: una cara de cartón, inhabilitada para el gesto, donde se materializaba el horror, el fastidio, el énfasis de la edad; una boquilla negra con embocadura de plata, de donde emergía un cigarrillo ligeramente temblón, cuyo humo remolineaba bajo el ala del sombrero. Un traje negro que le venía un tanto justo, de tela rígida que allá en Tampico, o en Lochha, o en Tzibalchen, o en Papasquiaro, o vete a saber dónde debía haber adquirido con carácter más definitivo que una verdadera mortaja, un postrer día de calor, y unas alpargatas impecables, cuyas cintas planchadas destacaban sobre los calcetines de algodón negro.

—La acompañaré hasta la esquina. Si a usted no le importa.

Rosa no contestó. Con la cabeza baja contemplaba el dinero que aún tenía en la mano.

—Es una labor extraordinaria. La felicito —dijo, sin alterar el gesto, abriendo el paquete y sacando un pañuelo de hilo bordado, unas iniciales entrelazadas, L. R., del tamaño de una mariposa.

—A mí no. Yo no he hecho más que plancharlos. Mi tía lo hace todo.

—He oído hablar mucho de ella. Una gran señora.

Rosa no le miró ni una vez. Todavía no se había guardado el dinero. Andaba a pasos ligeros, arrimándose a las paredes para rehuir la mirada del indiano.

—Rosa.

La cogió del brazo.

Ella se quedó petrificada, atenta interiormente a las losas de piedra. Su mano empezó a tirar de manera imperceptible, pero con increíble firmeza; el indiano la retuvo.

—Rosa, de sobra sabe usted qué es lo que me trae aquí. De sobra sabe usted cuáles son mis aspiraciones. Sólo necesito saber si las suyas coinciden con las mías.

No movió nada; la cabeza caída en actitud piadosa, miraba al suelo, el dinero apretado en sus dos manos rojas, que aún olían a lejía.

—Tiene usted miedo de contestar, Rosa. Tiene usted miedo de contrariarme, porque antes que nada existe entre nosotros un mutuo aprecio que usted no quiere perder. Yo le juro por mi honor, Rosa, que eso nunca se perderá. Antes se perderá este hombre que ve usted aquí. Se lo juro, Rosa.

Tuvo una sacudida, fue a mirarle, pero no llegó; un resorte —su cabeza parada en la expectante y atónita actitud de un autómata de porcelana detenido al iniciar el paso de baile— la cortó, quieta, transfigurada, fosilizada en un instante por un siglo de polvo e intangible virtud. Probablemente ni sintió la mano grande del indiano posada sobre las suyas para reanudar el paso de baile frustrado por una negligencia.

—Una cosa quisiera advertirle, Rosa. Le ruego que lo piense, aunque no es necesario que lo haga tanto como yo. Yo ya no soy joven, usted lo sabe, y he de estar por fuerza muy seguro de lo que digo cuando a mis años me atrevo a dar semejante paso. No se mueva, se lo ruego, Rosa, no se mueva. Pero le mentiría si le dijera que sólo lo hago por usted. Como tampoco lo hago sólo por mí, por egoísmo. Lo hago por los dos; ahora, tras mucho tiempo de vacilación, puedo decirlo con entera firmeza. Y cuando usted lo piense, hágalo por los dos también. Y por su tía de usted también. Prométamelo.

—Yo no le puedo prometer nada.

—Prométamelo, Rosa.

—Yo no le prometo nada.

—Prométemelo, te digo.

—Se lo prometo, se lo prometo.

—Gracias, Rosa, gracias por todo.

—No me dé las gracias.

—Por fuerza he de dárselas. Ya veo que tiene usted alguna prisa. Adiós, Rosa. Yo le prometo a mi vez que, sea cual fuere su respuesta, guardaré estos recuerdos cerca del corazón, muy cerca del corazón —dijo, contemplando los pañuelos, dando a su voz esa entonación del charlatán, que ensalza un carminativo para menospreciar al mundo entero—. El corazón —añadió con fastidio, un espontáneo gesto de fatiga—, el corazón —suspirando profundamente, sacando del bolsillo un pequeño envoltorio en papel de estraza—. Le ruego que acepte este pequeño presente —un frasco de colonia dominguera, de color carmesí.

Por primera vez Rosa le miró, sus manos y las suyas sobre el frasco de colonia.

—No me lo diga todavía. Espere.

Los dos quedaron en silencio. Su gesto pareció perderse alejándose por un paraje del ayer —la llanura de Lochha, el adiós a Tzibalchen, cabalgando por la noche en una mula, bajo los plátanos y sicomoros hasta alcanzar la bahía, silenciosa y plateada, unas pocas luces en fila en la línea del muelle, entre el chapoteo del agua, apoyado en la barandilla del barco que, tras el largo paréntesis de lucha, le devolvía a su tierra—, una figura del alma que por un instante afloró a su superficie trataba de abandonar la carcelaria cara de invulnerable y desdeñable pasta vaciada sobre un troquel de fanfarronería, aventura, orgullo y fastidio y crisis, y un cierto soplo de cruel y adquirido mestizaje no suficientemente desarrollado para borrar la nativa y ridícula estrechez de sienes apenas disimulada por unos pocos cabellos cuidadosamente apelotonados debajo del sombrero, untados con brillantina.

—Soy un hombre que ha vivido mucho y ha sufrido grandes desengaños. Y este, Rosa (por mis muertos), sería el último. Yo le ruego, una vez más, que lo piense, sin dejarse llevar por los sentimientos que le inspira su situación actual. La caridad y el amor (sépalo usted) pueden darse a la par algunas veces.

—Señor Blanco.

—Llámeme Blanco a secas.

—Señor Blanco.

—Usted me comprende demasiado bien. Usted no puede aniquilar su porvenir por un sacrificio estéril.

—Señor Blanco.

—Su tía de usted podrá vivir con nosotros.

—Por favor.

—Se lo dice un hombre que ha vivido mucho, que ha sufrido más. El amor —con acento de augur, sellando los labios y entornando los ojos— probablemente no dura más de veinticuatro horas. Lo que queda atrás no es cierto, lo que está por venir no vale la cuarta parte de lo presente. Te lo dice un hombre que ha vivido mucho, que ha sacrificado su vida por un porvenir más digno.

—Señor Blanco.

—Un porvenir que te engaña y empaña la vista, te impide vivir de verdad. Pero un día, Rosa, te darás cuenta de que con el amor vas a adquirir la facultad de vivir de verdad, sin sombras del porvenir.

—¡Señor Blanco!

—Sabía que no me equivocaba. Lo veía en tus ojos. Feliz tú hoy que no te hace falta saberlo porque estás viviendo —dijo, entreabriendo la boca con chulería, mirándola de soslayo, y añadió—: Por supuesto.

—¡Señor Blanco!

—Me voy, Rosa. Tengo que irme.

—Por favor, señor Blanco. No sé qué decirle.

—Estás llorando, criatura.

—No estoy llorando. Sólo que...

—Te digo que estás llorando, criatura. Déjame que te seque esas lágrimas benditas. Déjame que te las seque con el pañuelo que bordaron tus manos. Ya sé que has pasado mucho, mucho. Pero a partir de ahora yo haré que tus penas de amor se conviertan en alegrías. Así, basta ya. Ea, basta ya, criatura.

Ella enmudeció. Mirándole con dos ojos como dos botones, un sonido estertóreo salió de su boca entreabierta. El indiano le levantó la barbilla y, echando unas cuantas gotas de colonia, le pasó, una vez más, el pañuelo por la cara.

—Lo que tú me digas estará bien dicho. Mientras tanto yo me guardaré este pañuelo para tenerlo siempre junto a mi corazón. Muy cerca del corazón —dijo, guardándose el pañuelo en el bolsillo interior, llevando su mano hasta palpar su pecho e inclinándose luego con un movimiento repentino para besar la mano roja, cuarteada, que todavía despedía un olor a lejía.

Seis

La puerta golpeó en el quicio un par de veces. Una mano se introdujo por la rendija para soltar el alambre, arrollado a un clavo. En el umbral apareció una lámpara de carburo en el centro de la figura negra, iluminando el sótano, unos cuantos baúles y marcos viejos apenas cubiertos con colgaduras y colchas deshilachadas y borlones de seda comidos por las ratas.

Había detrás un bulto. Levantó la lámpara para colocarla ante su cabeza. Respiraba profundamente, llenando el ámbito con un ronquido apacible, tendido en el bastidor de madera y cubierto con una colgadura de terciopelo negro con manchas calvas y pardas.

Había detrás un bulto. Tuvo un escalofrío y encogió la nariz cuando la luz del carburo le dio de lleno en los ojos.

—Despierta.

—¿Eh? —dijo, dormido, abriendo la boca y volviéndose del otro lado.

—Que te despiertes.

Agitó la lámpara ante sus ojos, luego le dio un sopapo. Dejó la lámpara en el suelo y encendió un cigarrillo, echando el humo a la cara del dormido. Detrás había un bulto que se movió y el hombre parpadeó.

—¿Qué, qué?

—Despierta de una vez.

Le miraba fijamente; el humo del cigarrillo remolineaba bajo el sombrero, que no debía haberse quitado ni para echarse a dormir. Sobre los pantalones negros, a medias abrochados, caían los pliegues de un jubón abierto, que dejaba al aire una pechuga blanca de apariencia infantil, donde asomaban algunas canas rizadas.

—...te he dicho mil veces que no quiero que te cierres por dentro.

—Don Lucas.

—¿Dormías bien, verdad?

—¿Qué hora es? Aún es de noche; no serán ni las cinco.

—¿Te importa mucho?

—No, don Lucas.

—Dormías a gusto, ¿eh?

—La otra noche no pegué ojo.

—Debías estar preocupado.

—No, don Lucas, no era eso.

—Ya lo creo que era eso. Probablemente una grave preocupación te quitó el sueño. Me parece que tú eres hombre de grandes preocupaciones.

El otro no respondió, escondiendo la mirada bajo la colgadura que le tapaba.

—Mírame.

El otro le miró, sólo los ojos negros salían del embozo.

—Dime si dormías a gusto.

—Sí, don Lucas. Ya lo creo.

—Levántate.

El otro no respondió, incorporado a medias en la cama —un bastidor de madera relleno de paja y papeles, y cubierto con una lona manchada de orines—, tratando con dificultad de mantener los párpados abiertos.

—Una carga excesiva para tus débiles hombros.

Había un bulto detrás. Lanzó la bocanada hasta el techo, en silencio, observando las manchas de luz.

—Demasiadas preocupaciones.

Le echó la bocanada en la cara, basculando hacia atrás.

—No te duermas.

—Todavía es de noche. Me podría dejar un poco más.

—¿Quieres que te duerma para siempre?

—¿Eh?

—«¡Bulo!»

Algo se movió detrás, el hombre abrió los ojos.

—No, don Lucas, no. Ahora no. Hace dos noches que no he pegado ojo. Ahora no. Ahora no. Por lo que más quiera, don Lucas.

—«¡Bulo!»

Era un enorme perro de majada, sucio, de color canela, que se le quedó mirando entreabriendo los ojos —casi encarnados, unas legañas húmedas le corrían por la cara— y bostezando.

—Vamos, sube, «Bulo».

Subió de un salto a la cama. Lanzó un gruñido. El otro retrocedió. De detrás del jubón, envueltos en un pañuelo blanco, el indiano sacó un terrón de azúcar que lanzó al aire, seguido por la mirada aburrida del perro.

—¿Te gustaría darte una carrera por el jardín?

El otro hizo no con la cabeza.

—¿Te gustaría echar unos guantes?

El otro volvió a hacer no, mirando al perro.

—Entonces, ¿qué te gustaría hacer?

—Déjeme dormir, don Lucas. Llévese el perro. Déjeme dormir.

—Eres un niño. No se puede hacer nada de ti. Eres un niño.

—Don Lucas, le prometo que mañana. Don Lucas. Le prometo que mañana.

—¿Qué sabes tú de mañana? ¿Qué sabes tú de eso, imbécil?

—Déjelo para mañana, don Lucas. Déjelo.

—Me tienes preocupado —aplastó el cigarro con la punta de la alpargata, hizo una mueca de desprecio—; te aseguro que me tienes muy preocupado. No tengo más remedio que tomar una resolución contigo. Una resolución que nunca creí que fuese necesaria.

—Don Lucas.

—Tú me has obligado a ello.

—Yo no quería escaparme, se lo juro.

—De cualquier forma, no volverá a ocurrir.

—De verdad le digo que no quería escaparme.

—Estoy escarmentado. Una y no más...

—Se lo digo de verdad. Se lo juro por lo que más quiera.

—Cállate.

Otra vez lanzó el terrón al aire. Luego estuvo contemplándolo de cerca hasta que con un rápido movimiento lo estrelló en la cabeza de Blanco. El perro saltó, apartando a Blanco de un manotazo y hurgando en su lecho para buscar el azúcar.

—Negra ingratitud.

—Don Lucas, de verdad se lo digo. Yo sólo quería dar una vuelta —el perro le miraba tranquilamente mientras masticaba el azúcar; luego bostezó. Se sentó en el borde del lecho, acariciando la pechuga del animal.

—Me he sacrificado como un padre por ti. Todo lo he dejado por ti, por ti. Para hacer de ti un hombre. Un hombre que pudiese ir por la calle con la cabeza bien alta, digno de tal nombre. Y mira de qué forma me lo pagas: escapándote de la casa para rondar alguna mujerzuela. Para largarte con alguna mujerzuela. Esa es la manera que tienes tú de pagar todo lo que he hecho por ti. Te aseguro que me entran ganas de arrancarte la piel, granuja.

Levantó la voz, levantó los puños al cielo en actitud dramática para hundir la cabeza en sus manos, reteniendo la respiración.

—Don Lucas...

—Sólo puedo confiar en ti, «Bulo». Solamente tú me ofreces la verdadera amistad. Está bien, «Bulo», está bien.

—Don Lucas...

—Qué sería de mí sin ti. Qué sería de mí —sacó otro terrón de azúcar, el perro avanzó la cabeza—. Tú sabes lo que he hecho por él. Un pobre diablo que no tenía dónde caerse muerto —el otro se metió en la cama, bajando la vista; levantó un poco la cobertura para esconder la cabeza y se santiguó rápidamente. Don Lucas lo vio— y ahí le tienes ahora: bien alimentado, bien vestido, heredero de una fortuna nada desdeñable, acosado por todas las muchachas casaderas del país... Está bien, «Bulo», ya que él lo quiere así le dejaremos salir, a condición de que no vuelva a poner los pies en esta casa.

El otro, debajo de la cobertura, rompió a llorar.

—¿No es eso lo que querías? Responde.

El otro no pudo contestar.

—Vamos, «Bulo», sácalo de ahí —dijo, echándole el terrón en la cama al tiempo que se llevaba el pañuelo a la nariz para aspirar el aroma de la colonia barata. El perro levantó la cobertura, gruñéndole en la cara. Don Lucas le agarró por la camisa.

—Vamos, responde: ¿no es eso lo que querías?

—No, don Lucas. Usted sabe que no, don Lucas.

—No me vengas ahora con golpes de pecho, ¿entiendes? Me he pasado toda la noche buscándote por el monte. ¿Te das cuenta lo que es eso? ¿Te das cuenta de lo que es para un padre soltar al perro para buscar al hijo ingrato, tener que atar con cadenas al hijo ingrato para no verle hundido en el vicio? ¿Te das cuenta, animal, te das cuenta? ¿No ves que me estás enterrando vivo?

No tenía una lágrima, el otro bajaba la vista. Al fin le soltó para enjugarse la frente —el sombrero negro inmóvil— y los ojos.

—Esa es la triste verdad, «Bulo» —durante un largo rato permaneció llevándose repetidas veces a la nariz el pañuelo perfumado con colonia dominguera, aspirando con los ojos entornados al tiempo que acariciaba la pechuga del perro—, solamente puedo confiar en ti.

—Don Lucas, se lo juro por lo que más quiero.

—Tú no quieres a nadie.

—Se lo juro por lo que más quiero.

—Toma, huele —le dijo, alargándole el pañuelo.

El otro retrocedió, metiendo los brazos bajo la cobertura.

—Que huelas, te digo —repitió. De un golpe le metió el pañuelo en las narices—. Di: ¿te gusta cómo huele?

—Donnucas.

—¿Te gusta cómo huele?

—Sí, don Lucas.

—¿Te gustaría tener una mujer que oliera así?

El otro se derrumbó en la cama, mirando al techo y abriendo la boca de cuando en cuando, como un pescado en un cesto.

—Di, ¿te gustaría?

—Don Lucas...

—He pensado que tal vez sea la mejor solución. Prefiero que tengas la mujer en casa a que cada semana te largues por ahí en busca de mujerzuelas. ¿Que dices tú a eso?

El otro hizo un ruido, mirando al techo. El pañuelo se le había quedado junto a la cara; solamente la cabeza sobresalía de la colgadura de terciopelo.

—Te estoy preguntando algo.

—Que ya lo creo, don Lucas.

—Está bien. Así será; ya ves que soy complaciente. Antes de un mes iré a la ciudad y te traeré una mujer para ti solo. Eso si no viene ella antes, ¿eh? —dijo, sonriendo, dándole una palmada en la cara—. ¿Qué dices tú a eso?

—Nada.

—¿Ah, no dices nada?

—Sí, don Lucas, que muy bien.

—Esto es. La señora de Blanco. Siempre me han gustado las escenas familiares. Toda la vida no he hecho otra cosa que tratar de rodearme de una familia. ¿Y qué dices tú, «Bulo»?

Cogió el pañuelo de nuevo —el otro bajó la vista del techo, observándole desde el embozo— y aspiró profundamente. Luego envolvió un terrón de azúcar en él y lo arrojó al rincón.

—Vamos, «Bulo», tráemelo.

Cuando lo volvió a coger le restregó el hocico con él, luego deshizo el nudo y lo extendió en el suelo con el azúcar en el centro.

—Toma. Tienes que irte acostumbrando a este olor.

Siete

Una mancha en un pliegue postrero. La rosa ajada envuelta en papel transparente de color amarillo limón.

—Bueeenas tardes.

—Se llama Amelia.

—Lo sé, Blanco, lo sé. Jeee, burro. Arre, burro —lo golpeó en el lomo, con una mueca de desdén exagerada hasta lo macabro por la sombra recta del ala omnímoda; sentado en la grupa a lo mujer y el cuerpo levemente escorado con la apurada apostura de una pepona recostada en un sofá, cruzó por la ventana sin hacer caso de Blanco, que le seguía a pasos cortos, la mirada en el suelo—. Ya lo sé, Blanco, ya lo sé.

Dentro no se oía nada. El aire fresco de la penumbra y la ropa limpia, una mano inerte que despedía efluvios de lejía, más inmovilizada que una cucaracha bajo la luz tras los montones de vainicas.

—La vida de estas gentes —miraba apenas hacia la ventana— el sueño de una mula picada por las moscas —bajo el sol, abriendo una boca provocativa que parecía accionada por un hombre escondido.

Sin duda fue la primera mancha en muchos kilómetros de ropa blanca (la respiración entrecortada), la mirada retraída para no ver el jinete, una silueta negra caprichosa y cruelmente recortada sobre el fondo blanco de tela amontonada en las dos arcas que contenían el trabajo de más de tres decenios, años y sábanas que engulleron edades, un no alborotado y frustrado noviazgo extinto aquel mismo año, 1915.

Ni siquiera había levantado la vista del punto donde estuvieron la botas femeninas cuando ya no alcanzaba a escuchar —tras el postigo cerrado— la respiración entrecortada; las botas detrás de la puerta cerrada se detuvieron una vez más ante la otra puerta, la expresión tercamente detenida con fastidio y seguridad, no avejentado, pero maduro, el cruel y ultrajado trance de un ayer celosamente guardado por una conciencia implacable, recostado en la reja hasta que la habitación fue invadida por las franjas moradas fundidas con su silueta —cortada por la palma añeja que colgaba atada con cintas blancas— para avanzar la cara (un monstruo saliendo de la urna morada) cuando la habitación se iluminó por la luz color de tocino extendida sobre las desordenadas labores blancas de donde pareció brotar el pálido, transfigurado, híbrido recordatorio del ayer, la mascarilla del odio conservado intacto en la efigie difunta y rediviva moldeada en la blanca y deleznable harina de un sueño extempóreo y envuelta en el rancio aliento de la cara de cartón surgiendo intolerablemente invencible; mil veces rota y mil veces compuesta con una mezcla de la más barata cola de carpintero y la más barata brillantina de granel, trayendo consigo la mano blanca y acartonada y peluda —el cuerpo prono, el ala negra, la mirada aunando todo el horror acumulado durante treinta años de insomnio—, que cayó sobre su muñeca para clavarle las uñas al tiempo que la retorcía.

—Parece que he llegado a tiempo. ¿No te parece, vieja?

No se había inmutado. No había levantado la vista ni movido la otra mano, que aún sostenía la aguja.

—Me atrevo a pensar que no esperaba mi visita. Pero yo no me olvido de las viejas amistades. Yo no me olvido nunca ni de las deudas que tengo que pagar ni de las gentes a las que debo un favor. No me olvido nunca. Tú sí —dijo, al tiempo que retorcía su mano.

Ella lo sabía a medias. Probablemente Rosa había empezado a contar algo a la señorita Amelia, reumática, desmemoriada, casi sorda y posiblemente idiota, mientras sentadas junto a la ventana se ayudaban a enhebrar, hilvanar y desmadejar y bordar un mediano equipo de novia, puro parloteo de una tarde de costura. Rosa le podía haber contado —no para ser escuchada por los oídos semisordos e indiferentes, sino, de alguna manera, para oírlo de nuevo, aunque fuera de sus propios labios, y creérselo de una vez —una tarde anterior. Apenas sonriente, atontada, vacilante y en algún momento inquieta, trataba con palabras veladas y preguntas de aparente ingenuidad de adentrarse por un terreno desconocido en el que —por un simple juramento, el obsequio de un frasco que no llegaba a los cuatro duros y un fogoso, reprimido beso en la mano— se creía experta. Y probablemente también le extrañaron sus propias palabras, tanto las que eran apenas oídas sin ser escuchadas como las que ella se guardaba por pudor esperando y confiando que la facultad receptiva de la señorita Amelia lograse extraerlas del silencio sin apelar a su voluntad, y sin contrariar su recato; fue abandonando una sonrisa estéril, la cara crédula dispuesta a creerse lo que todavía su entendimiento se resistía a considerar si por un milagro de su naturaleza la señorita Amelia hubiera dejado entrever su tácito y adecuado sí, a medida que se iba escuchando, sin precipitarse, a anticipar el miedo y la incredulidad a lo que ella misma sabía que se iba a contar al perder la vista para fijar el vacío, el vespertino silencio de los bordados dorados, el mortecino tic-tac del despertador trasero que acentuó su sonido para señalar el cambio de estado de un cuerpo que abandonaba el limbo para interesarse definitivamente en el aburrimiento vespertino, más que el tránsito del desengaño a la resignación, mordiéndose los labios y pinchándose repetidas veces en el mismo punto de la yema al querer concentrarse en un punto de la tela para soslayar la visión, más allá del cristal glauco, de tardes y tardes de futura labor.

—¿Y qué más?

—No, nada más.

—¿Nada más?

—Nada más.

—Entonces, ¿qué quiere ese señor?

—Nada, no quiere nada.

—Entonces, ¿por qué demuestra tanto interés?

—¿Interés?

—Interés, sí, interés —con las manos quietas, la miraba por encima de los lentes—. Tú misma me has dicho que te espera a la puerta de la iglesia y te acompaña hasta la esquina.

—Es que quiere que le haga una ropa.

—¿Ropa? ¿Qué clase de ropa?

—Unos pañuelos, no sé, unas camisas.

—Tú no sabes hacer camisas de hombre —luego añadió—: ¿No será que te hace la corte?

—¿Eh?

—¿No será que se quiere casar?

—No.

—¿Cómo sabes que no?

—Yo qué sé. A lo mejor sí, a lo mejor sí. A lo mejor se quiere casar. Yo qué sé.

—No le vuelvas a ver. No le vuelvas a hacer caso. Si te vuelve a molestar le vuelves la espalda y te vienes derecha a casa. ¿Entiendes?

Pero él lo sabía, acodado en la reja, compuesto y provocativo, simulando una actitud puramente reflexiva y volviéndose de cuando en cuando para echar el humo del cigarrillo sobre la cabeza color lana cruda, humillada bajo el peso de su sombra.

—¿Tú no te habrías acordado de invitarme a la boda, verdad, bruja? Ni siquiera te acordabas de que yo seguía pisando la tierra. No pensabas que yo podría volver cualquier día, ¿verdad, vieja imbécil?

Cuando retiró su mano había surgido en su muñeca, más milagrosa que si brotara de una reliquia de madera, una primera gota de sangre del tamaño de una mariquita, que corrió velozmente por la mano, como espoleada por una larga y sombría clausura, para gotear varias veces en la blanca impoluta memoria extendida sobre su regazo.

—¿Dónde está?

Ella no contestó. El lo sabía: Rosa había salido aquella misma mañana para Macerta, a fin de cobrar la pensión bienal que bien administrada apenas le duraba un par de meses. Y no había de volver —ella misma se lo había dicho— hasta bien entrada la noche, haciendo el camino a pie desde la parada del ordinario del Auge, no lejos del lugar de Nueva Elvira, que debía atravesar.

—¿Dónde está? —repitió, ya era de noche. Había empezado a tiritar; no había movido la cabeza, ni la mano sangrante, ni la mirada clavada en la ropa, pero empezó a tiritar.

—Ya puedes despedirte de esa boda. No pienso permitirla. No pienso permitir por más tiempo que hagas tu antojo con lo que me pertenece. Sí, me pertenece y ahora soy yo el que manda, ¿me oyes? Ya puedes despedirte de ella. ¿Quién es ese novio que le has buscado?

No levantó la cabeza; estaba tiritando.

—¿Quién es ese Blanco?

«Vete. Vete. Que se vaya. No le dejes que siga ahí. Que se vaya. Que se vaya para siempre. Llévatelo. Llévatelo para siempre. Dios. Dios. Dios.»

Pero él estaba allí, casi vuelto de espaldas, dejando que la luz color hueso iluminara una mejilla de mayólica, un pliegue modulado por el fastidio, aplastando los cigarrillos en el antepecho de la ventana, la punta quemada de una sábana. Luego, el salto de un gato en la oscuridad, la calle vacía, el muro detrás. El monótono tic-tac a su espalda creció en énfasis, extendiendo sobre el ámbito en penumbra el rigor de las horas. Quién sabe si tantos y tantos pliegues de ropa blanca alcanforada no habían logrado sino dormir el oído para exacerbar la interna y premonitoria audición —un preoído exacerbado y preciso, tanto más certero y terrible que aquel equívoco sentido externo cuanto más ahogado el grito en una cuneta solitaria— de un trance final, los gestos de violencia en torno a la Rosa agitada, el último intento de liberación vencido y silenciado por el abrazo final, en una cuneta solitaria.

De pronto echó a correr. Abrió la puerta, pero el brazo de Lucas la detuvo.

—Quieta, vieja. ¿Dónde quieres ir a estas horas?

No la miraba a ella, apoyado con chulería en la jamba de

la puerta, ofreciéndole el ala del sombrero, sino sus botas negras antiguas (arrinconadas durante largas temporadas) con los cordones sueltos.

—El tiempo no pasa en balde —dijo Lucas, sin moverse.

Y ella retrocedió, arrastrando penosamente los pies deformes, buscando a ciegas el picaporte.

—Puede que tus botas sean las mismas, pero tus pies han cambiado.

Una vez todavía intentó volverse.

—Tus botas.

Cerró la puerta de un golpe. Luego la otra. Encendió la luz eléctrica, cerró las contraventanas. Durante un largo rato el tic-tac del reloj fue acallado por el insistente y despreocupado tamborileo de sus dedos en los cristales de fuera.

«Dios. Dios. Dios. Llévatelo. Llévatelo de aquí. Déjame coser. Cosiendo siempre. Por Dios. Por Dios. Por Dios. Por Dios.»

Ocho

—Sal de ahí.

Dentro se oyó una voz ahogada repetida por el eco de la caldera, los pasos que resonaron por dentro.

—Sal de ahí, te digo. Llevo prisa.

Al fondo del agujero apareció una cabeza pequeña. El indiano metió la mano en el registro y tirando del pelo sacó a Blanco por la cabeza, como una bayeta de un cubo de agua sucia.

Antes que el sol le diera en la cara se había llevado una mano a los ojos para ocultar sus lágrimas

—Vamos, te digo que tengo prisa.

El otro se secó con los dedos.

—¿No sabes qué día es hoy?

En su mano traía el envoltorio: un papel transparente de color amarillo limón que contenía la rosa marchita. Se había afeitado, se había puesto una corbata negra y limpia y unas alpargatas nuevas. Un mechón de pelos como virutas metálicas se los había apelotonado detrás de la oreja y toda su cara y su figura —recia y desproporcionada, la cabeza enorme, un furioso y contenido envite para vencer su mediocre estatura— colocada de espaldas al sol a la altura de los matorrales parecía nimbada por un aura de viciosa, compuesta y reconcentrada beatitud.

El otro, asomando la cabeza por la boca del registro, no se atrevió a mirarle.

—Ya lo sé, señor Lucas, ya lo sé.

—No lo sabes. Qué lo vas a saber —le miró sonriendo con superioridad.

—Sí que lo sé, señor Lucas. No me diga que no lo sé.

—Qué lo vas a saber.

—No me diga usted eso, señor Lucas. Bien que me acuerdo —dijo, santiguándose.

—Vamos a ver: dime qué día es hoy.

—No quisiera recordarlo —dijo el otro, vagamente, apoyado en la boquilla y ocultándose de la mirada del indiano, contemplando el jardín—; no quisiera otra cosa que no volver a acordarme de ello en toda mi vida, don Lucas.

—Vamos, dilo, o te quedas ahí para siempre.

Bajó la cabeza. Don Lucas encendió el segundo cigarrillo mirando el humo sin dejar de sonreír.

—Hoy hace un año que murió la Rosa.

Don Lucas —contemplando la ceniza, golpeando el cigarrillo con el dedo pequeño— hizo un no con la cabeza.

—No —añadió.

—Hoy hace dos años de la muerte de Rosa.

—No.

—Tres años.

—Tampoco.

—Va para dos años, don Lucas. Que me quede aquí muerto si no hace dos años que...

—He dicho que no. Me parece que será mejor que te refresque la memoria.

—Hoy no, don Lucas. Hoy no puedo. No he dormido en toda la noche. Don Lucas...

—Estamos a doce de julio. Y Rosa murió el veintidós de mayo. ¿Es que ya no te acuerdas?

Era cierto; no era el aniversario de su muerte, era el aniversario del día que exhumaron sus restos, casi dos meses después de haber desaparecido. Fue el propio Lucas quien la encontró un veintiuno de mayo y dio parte al Juzgado, cuando —según se decía—, una vez sobrepuesto de tan duro golpe, había decidido tomar posesión de la propiedad que legítimamente le correspondía por muerte sin descendencia, ni testamento, ni parientes reconocidos de su sedicente prometida y copropietaria, Rosa García, hija natural —al decir de esa gente—, con tácita conmiseración, al violento, insepulto e insobornable pasado de su pueblo —de algún Gros, aquel joven violento muerto en su flor, o de aquel padre arruinado o quién sabe si de la propia Amelia; un cadáver descompuesto, tan sólo reconocible por el escapulario, un hábito negro hecho jirones y un monedero vacío, donde sólo habían hallado un frasco de colonia barata, que aún contenía líquido, sin aroma ni color.

El que menos aportó una razón para admitirlo todo: el robo, el intento de violación, la fuga desesperada por miedo a la señorita Amelia, la virtud perdida aquella misma tarde, la desgraciada cita de amor en una caldera abandonada de donde no acertó a salir.

—Lo digo por si acaso un día se te ocurre largarte por ahí, detrás de una mujerzuela.

—Eso no, señor Blanco, se lo juro. Eso no volverá a ocurrir. Le juro, señor Blanco, que nunca más saldré de aquí.

—Eres un místico, Blanco. Eso está bien. Vamos, sal de ahí.

El otro —llamado Blanco— hizo un gesto de dolor. Tenía el carrillo izquierdo hinchado, los pómulos salientes, los ojos hundidos y vivificadamente fijos, que ya no pugnaban por mirar ni siquiera fluir en pos de la luz apacible, las mañanas de sol, las alargadas tardes, los años furtivos flatulentamente idos y venidos por los caminos amarillos y las encinas solitarias hasta las cordilleras azules, los suspensos y amanzanados atardeceres, las despejadas noches solamente limitadas por ladridos lejanos y ocultos, definitivamente apostados en aquel veintidós de mayo en expansión; sus propios pasos detenidos y expandidos aquella noche, corriendo por el jardín tras el perro jadeante y su aliento en expansión; la sombra, la cuneta, el perfume; sus gritos histéricos —«Señor Blanco, señor Blanco, señor Blanco, Blanco, Blanco, Blanco»— que jalonaron los estertores de su cuerpo debajo del perro como continuas y silenciosas explosiones; su cuerpo (con una mezcla de correa y colonia) largo y nudoso y repentinamente quieto tras aceptar su peso como rúbrica y postrer diligencia al ultraje de la muerte, en silenciosa y doliente expansión, exhalando sus últimos suspiros al tiempo que la figura creciente del amo surgía del fondo, las alpargatas blancas muy cerca de su cabeza; el traje negro recogido el monedero con la sonrisa en expansión, unos dientes blancos, un arañazo en la cara, en un instante tranquila y creciente, liberada por el fuego de unos pocos billetes que el señor Lucas —enrojeciéndose delante de la luna— dejó caer al suelo; la luna discretamente apostada en el veintidós de mayo para contemplar cómo el perro olfateaba entre las zarzas el intenso aroma perdido creciente unido por los siglos de los siglos al vuelo del pañuelo llevado por la sonrisa cortante y creciente para restregarlo por su nariz, para depositarlo, al fin, en las últimas brasas vertiendo un poco de aquella infernal colonia que el perro ladró; hasta la caldera de color ladrillo delante de la casa, donde había, por los siglos de los siglos, de transcurrir el infinitesimal y duradero bostezo de un veintidós de mayo infinitamente expandido incoloro e inodoro en incontenible y silencioso crescendo más allá de las paredes oxidadas, donde anidó, entre porquerías acumuladas debajo del registro, el funerario amor transformado en matrimonio místico a medida que sus brazos desnudos se fueron detumesciendo, y se vaciaron sus órbitas, y desapareció su dorada nariz, y surgieron los huesos, de color de rata, y los sonrientes y caleidoscópicos dientes, empero quedó el hábito con su aroma peculiar y un leve rastro de aquella diabólica colonia que todavía —y por los siglos de los siglos— le embriagaba el sentido, donde se secaba el sudor y las lágrimas, que todas las noches —impotente y desesperado— retorcía con sus manos hasta formar una gran pelota, que introducía en su boca hasta provocarse arcadas; cómo luego —a través del registro circular— las mañanas volvían tras las noches de lejanos ladridos y obsesionantes figuras y provocadas arcadas, huyendo de una fecha, fijando en el zumbido de los insectos en torno a la boca del registro, la expansión de un ayer, la estela de un perfume.

El indiano le echó una mano. Luego se levantó a pulso, deslizándose boca abajo fuera de la caldera.

Antes de las nueve ya estaban en el cementerio. Una rosa que contaba cincuenta y un días, cortada el veintidós de mayo, depositada en su tumba, sin ostentación ni ceremonia alguna, sin quitarse el sombrero ni arrodillarse para ello, el doce de julio. Luego le daba dos duros, que —según él mismo gustaba de explicar— correspondían no al interés, sino a la amortización de unas cuantas pesetas gastadas en las exequias de la virginidad y las virtudes de la raza.

—¿Qué harías tú con tanto dinero? —le había dicho aquella noche, al tiempo que le pisaba la mano cuando él, sosteniéndose los pantalones con la otra mano, se abalanzó por el monedero. Luego encendió una cerilla— él retiró la mano —mirándole fijamente a un palmo de sus narices—. Esto es lo menos que debes pagar.

Se quedaba atrás. Cuando alcanzaban la ventana encendía otro cigarrillo, que se colocaba en la comisura de los labios, apoyándose en la reja hasta que, lanzando la última bocanada por la rendija de la persiana, aplastaba la colilla en la vainica.

—Vengo de llevarle unas flores a su última morada. A ver cuándo puedo hacer lo mismo por ti, vieja imbécil.

DESPUES

Llamaron de nuevo.

Rara vez se había abierto aquella puerta del jardín de atrás, que permanecía todo el año cerrada con un candado enmohecido y atrancada con una barra de fundición. Empero casi todas las tardes de domingo —y algunos días festivos— los cascabeles colgados de una cinta negra al final del pasillo eran repentina y violentamente sacudidos por las llamadas perentorias y fugaces, que dejaban agonizar por los corredores en penumbra de la casa. Jamás la puerta había sido abierta como consecuencia de la llamada, insolublemente frustrada a lo largo del triste correr de los años y las mortecinas tardes, no tanto por el hecho de que ya no quedase en la casa ningún servidor de buena voluntad, ni que en ella se hubieran dejado de recibir visitas o recados desde tiempo inmemorial, como por la indiferencia de los hombres que la habitaban, indolentemente sentados en las altas sillas que quedaban en pie de un hosco comedor —de madera negra y huesuda, tallada con cabezas de conquistadores romano-españoles comidos por la polilla—, sosteniendo un vaso en la mano con la mirada por las manchas azuladas de humedad y los pálidos reflejos del atardecer por los suelos, toda vez que se agitaban —con la desesperada e impotente rabia infantil que el sonido y el balanceo conferían a la pequeña plateada cascarilla— los cascabeles colgados de una cinta de seda negra.

No era el miedo. No era el miedo ni el aburrimiento; era, a lo más, una costumbre, una actitud ante lo irremediable;

porque aquellos campanillazos —en las pálidas tardes, las horas evanescentes concentradas en el fondo de un vaso diluidas por los pasillos en silencio sumergidos en la otoñalidad y la pobreza— no podían ser otra cosa que la habitual advertencia ante el próximo peligro.

En otro tiempo la casa había tenido un cierto tono; una residencia de tres plantas, construida en un cuartel apartado con la honorable pretensión de figurar un día en el centro más estricto de un futuro barrio distinguido —aprovechando y cediendo un conjunto de corpulentos olmos para una quimérica plaza pública, para la que incluso se proyectó una fuente ornamental, encauzando un regato cuyos labios cadavéricos estaban sembrados de cacerolas viejas y paños desteñidos puestos a secar—, y condenada para siempre, rodeada de huertos malsanos, pequeños y negros, y vertederos humeantes, y pirámides de bidones vacíos, y chabolas de chapa, y lonas, y charcas de agua parda, a encabezar el sumario de las invenciones hiperbólicas de una sociedad hiperbólica; salpicada de pináculos y estípites, y escudos elementales —más falsos que los de los hostales de buen tono—, y cabezas leonadas y atrevidas y maldicientes gárgolas, que si un día parecieron capaces de encender el orgullo y alterar el orden de un pueblo en marcha, quedaban reducidas hoy a la absorta y melancólica concurrencia de su propia inestabilidad; chimeneas y cubiertas inglesas o alsacianas, entramados y balaustradas y vencidas balconadas que parecían haber iniciado ese primer secreto y picaresco movimiento anterior a la caída —estallido de tablas y figuraciones de ruinas, obleas de cal en el agua sucia— el día que las aguas del tiempo terminaran, por fin, de descalzar los muros para restablecer el verdadero equilibrio del caos; había por detrás una tapia coronada por una malla de espino, con una puerta de hierro, que encerraba un pequeño jardín presbiteriano y una parra virgen sostenida por unos postes de madera, que sombreaba el ventanal, donde los hombres, los días templados, se sentaban en torno a una vieja mesa de madera cruda, para gozar del tramontano o contemplar la puesta de sol en las montañas donde se habían refugiado los nombres aristocráticos, los Collados de Antelo, o Santo Murano, o Valdeodio, o la Vega de Bobio, con una botella de castillaza claro.

Debían beber bastante. Era, sin duda, la misma costumbre, otro aspecto de la misma actitud. Las únicas personas que los visitaron en el curso de los últimos años —la mujer de la comida, el hombre del vino, la mujer de la ropa, la mujer de la venganza y, algunas veces al año, el doctor Sebastián, una de ellas con carácter solemne— los habían de encontrar con el vaso en la mano, la mirada perdida. Pocas personas —acaso sólo una— debían comprender hasta dónde llegaba esa mirada; tal vez se quedaba muy cerca (muy cerca, remota y trasera, iniciada al azar con el primer sorbo y dirigida al azar por el formato del respaldo para terminar con el último trago —hasta semanas más tarde— oblicuamente perdida sobre los últimos confusos despojos de un oblicuo y dudoso ayer) o tal vez se conservaba (a través del vaso) atónitamente hechizada por la coloración repentina de la tarde quintaesenciada en el fondo de castillaza y vinculada —a pesar de mil brillos espúreos y saltando por encima de mil y mil odiosos (existía todavía colgado en la pared un viejo reloj de pesas que jamás había marcado la hora convencional, pero cuyo silencio era capaz de llenarles de inquietud; muchas noches se paraba de repente, pero levantaban la cabeza y tiraban los vasos; el más viejo de ellos, conservando mejor el equilibrio, se encaramaba a una silla y le daba cuerda; si, por casualidad, sonaba el carillón, se reclinaban despiertos para entrar en un breve éxtasis de amor y pena por la infancia) tic-tac— a un cierto aroma de almohada y a una cierta mirada en la noche de un padre cansado y a un cierto lejano, pero no pasadero brillo de un hombro femenino en una escalera; y luego, la carrera, al saltar por encima del guardián de noche, escaleras abajo, que interiormente había de perdurar hasta siempre (hasta apagar en su cara el brillo del hombro), rota por la presencia instantánea de su padre, que avanzó hacia él para traer consigo el definitivo término de una escapada concluida, una puerta cerrada, una malla metálica, el suspenso adiós a una ambición infantil disuelta y licuada en el vaso de medicina torrencial que había de provocar su primera arcada por encima de las mantas apretadas. Pero no era, sin embargo, tanto lo que esperaban como el tiempo que llevaban en ello: semanas enteras —pensaba el doctor—, generaciones y generaciones de abortivas e infinitesimales tentativas de abandonar el respaldo y alejar el vaso; de heroicos e infinitesimales gestos para vencer esa forma licuada de la nada hacia otra no menos solitaria, más ambigua, desolada e inquietante, pero menos espectacular que la espera.

No eran sordos; ninguno de ellos era sordo. No habían llegado, siquiera, a la edad de empezar a perder oído. Más bien era el oído lo que —a través del vaso, sentados en las sillas del comedor de alto respaldo de rejilla— estaban tratando de educar y fortalecer para el momento definitivo de la prueba. Sabían que había de venir; sabían, incluso, que no había de tardar, pero no sabían con certeza el qué; llegaría el momento, sin duda, en que, tras la muerte del padre, el hijo recobrase su personalidad jurídica y tuviera que salir de la casa para tomar posesión de unos bienes que los antiguos socios administraban —antes que las aguas alcanzasen el nivel del comedor— tal como, al parecer, se acordó ante un abogado de renombre, al día siguiente de la muerte y en el mismo lugar donde..., o tal vez lograse entrar antes la mujer de la venganza —que muchas tardes se acercaba al lugar, envuelta en un abrigo y con un pañuelo anudado a la cabeza, para mirar desde detrás de los árboles, o tal vez le vinieran a buscar si se llegaba a saber lo que había hecho con aquella mujer. Tan sólo se trataba, decía el viejo, de saber esperar («si han de venir, ya vendrán»), si se está esperando y se sabe esperar más de lo que se debe puede incluso que no pase nada y se encuentre... la eternidad. Las mañanas, en cierto modo, eran tranquilas, pero ruidosas; el ruido de la garrucha enmohecida, el agua sucia de los sótanos que regurgitaban por sumideros insuficientes, los lavatorios, gárgaras terribles y penosas que duraban hasta el mediodía y parecían infundir en todo el arrabal un ambiente mañanero de nuevo mundo y ruidos de cristal pobre desde la primera hora de la mañana hasta que el sol comenzaba a declinar introduciendo en las paredes del comedor las sombras reverberantes de las hojas movidas por el soplo sutil y extraño emparentado de alguna manera —el balanceo de las viejas cortinas comidas por los ratones, los crujidos de la madera— con la carrera violenta de la infancia y el rito del hombro en esa hora vacía, solemne, familiarmente condicionada en que los habitantes de la casa parecían sumidos en un sueño interminable, en las habitaciones de la segunda planta. Las tardes... era otra cosa; volvían a bajar cuando el sol se acercaba al ocaso; volvían a sentarse frente a los restos de la noche anterior, el oído instintivamente inclinado hacia el ventanal para alcanzar toda la amplitud de aquel silencio singular, enfatizado por el reloj —cuando la luz retirándose anaranjaba el piso—, que incluso eran capaces de percibir las tardes de domingo, más allá de los campanillazos furiosos e insistentes, pero incapaces de aniquilar el silencio, volviendo majestuosos tras el eco del último sonido frustrado, como el brillo de la luna momentáneamente ofuscado por la quema de los fuegos artificiales, que se extingue con una nube de humo y voces infantiles.

Tal vez creyeran que tras aquel silencio —más allá de las tapias negruzcas y los árboles que duplicaban su volumen de sombra a la hora del crepúsculo, a donde, desde muchos años atrás, solamente se había atrevido a acercarse con la premonición y el miedo— había algo. El viejo, sí. El viejo, sin duda, lo sabía, aunque sólo fuera por el hecho de que si nada hubiera un oído tan inconsciente como el del joven no viviría en la escucha permanente; que si nada hubiera un oído tan tenaz y ávido lo despertaría al fin del oculto poder de los setos y los corpulentos árboles y del agua dormida y somera, pero creciente; un momento desconocido y voraz que había de procrear, inflándose a sí mismo, la sombra terrible de la venganza sobre la pequeña casa. Todos los días, en efecto, a primera hora de la mañana se asomaba por aquel ventanuco del lavabo, protegido con una malla metálica: una cara blanca, espatulada, descuidada y contradictoriamente simple (los ojos saltones y el pelo plateado), que se diría había alcanzado cierta cuarentona madurez por una simple yuxtaposición de canas y años encerrados en casa. No hacía nada, solamente miraba con fijeza, una estucada melancolía. El día que murió su padre allí estaba —los ojos saltones y el pelo cubierto de polvo— mirando hacia el campo cuando llegaron los amigos de su padre en un taxi negro. Le habían vestido de luto, y antes de echar a andar alguien —por detrás de la puerta entornada—le colocó sobre la cabeza un sombrero negro de grandes alas anchas; un amplio sobretodo negro le llegaba a los tobillos, para encabezar la presidencia del duelo —escoltados por los amigos y socios de su padre, que, en lo sucesivo, habían de velar por su salud.

Hasta entonces habían llamado por espacio de casi veinte años, más que su juventud, toda su inicial reserva de pasión. Habían llamado con insistencia, pero nunca con prisa, como si en lugar del pasado vengativo se tratara tan sólo de una mano infantil —salida de las aguas— que agitaba la campanilla por un juego inocente que debía por fuerza recordarles —aunque los habitantes de la casa trataran de olvidarlo, pretendiendo flotar sobre el horror de las aguas— el hundimiento final que un día u otro había de sobrevenir, vivificado todas las semanas por el campanillazo admonitorio. En los últimos días o habían llamado con más fuerza o empezaban a envejecer. No podía ser otra cosa; hasta los vasos —parecía— habían empezado a tintinear como si cerca de la casa pasara el tren; hasta las manos de alguno habían empezado a tamborilear con inquietud sobre una mesa (o la caja) de pino. Pero él seguía allí, la mirada sostenida por aquella mezcla de alcohol y antigua pasión trocada en paz interior desde el día en que —después de pegarle, sólo el más viejo sabía cómo y a costa de qué, y a la postre instintivamente convencido, pero no disuadido— logró apagar su escasa, pero inflamable dosis de esperanza. Apenas oía; no tenía necesidad de ser sordo, «los tiempos que se avecinan son tan malos —se había dicho— que no vale la pena salir de casa». Después de la muerte del padre casi no había pronunciado cuatro palabras, un taxi enorme y desvencijado le había devuelto una mañana a la casa y allí quedó, mirando los árboles a través del ventanuco del lavabo y las tardes sentado ante el ventanal, con un vaso sucio medio lleno de castillaza, en el mismo piadoso abandono que le había dejado su propio padre al morir.

Lo había ido a comunicar uno de los antiguos socios, sin duda el más joven: un hombre que frisaba los cuarenta años, de maneras pulcras y estrictas en las que se adivinaba una profesión administrativa; se había cambiado el traje habitual por una combinación más circunstancial —despedía un intenso perfume de afeitado— y trajo consigo un gran paquete envuelto en un papel de tintorería. No habló con él, solamente se lo comunicó el viejo haciéndole saber que, aunque el padre, al morir, no había expresado ninguna voluntad en tal sentido, era deseo unánime de todos sus amigos y deudos que presidiera el duelo aquel a quien en vida tanto había amado. Y que, naturalmente, se hacía necesario tomar las debidas precauciones para evitar que aquella nueva salida supusiera una nueva reincidencia en su terrible —«no sabía cómo llamarlo»— vicio o enfermedad.

Le pusieron, además, unas gafas negras. No había traspuesto el umbral de la puerta lo menos en tres años. Desde que su padre —«agobiado de dolor»—había decidido internarlo con el viejo guardia en la casa deshabitada del arrabal, no tanto para evitar un nuevo escándalo en su propia casa, donde tan mal acogidas eran las visitas del juez o del médico o de cualquier interesado en hacer un pequeño negocio, y las preguntas indiscretas, como para ocultarlo de la familia de la víctima. En realidad, su padre sospechó desde el primer momento, y supo luego con evidencia, que nunca hubo tal víctima. El viejo tampoco llegó a saberlo; mucho más bajo que el otro, apenas le miraba, porque no lo necesitaba para saber qué estaba haciendo y hacia dónde se dirigía. La carroza se detuvo ante ellos, quietos y juntos delante de la cancela. Escucharon un responso y se metieron en un taxi negro, donde también subieron tres o cuatro amigos del difunto.

Cuando sacaron el féretro de la carroza él se quedó dentro

del coche. Estaban a punto de depositarlo junto a la fosa abierta cuando media docena de ellos tuvo que volver corriendo al taxi para sacarlo del asiento delantero; él mismo era una especie de figura de mausoleo, que el taxista era incapaz de zarandear —el labio caído, mechones de canas juveniles sobresalían por debajo de las rígidas alas del fieltro negro, los ojos totalmente fijos en el parabrisas hacia la carretera de macadam que en una pendiente pronunciada caía recta hacia los tejados humeantes de Región—. Al principio se negó; quisieron sacarlo a tirones, pero los pudo apartar y cerró la puerta. Luego, moviendo el volante como un niño, intentó echarlo a andar con unas sacudidas de su cuerpo hacia delante. Abrieron las puertas, pero él trepó por el asiento y se refugió atrás. Quisieron echarlo y lo agarraron por los tobillos. Las gafas cayeron, una camisa debió romperse, uno de ellos empezó a sangrar del labio; se atusó la corbata y el cabello y, secándose el labio con un pañuelo perfumado y blasfemando en voz queda, fue a suspender momentáneamente la ceremonia. Era un taxi viejo y destartalado que a los primeros golpes empezó a crujir. Una visagra se desprendió y la puerta quedó colgando, golpeándoles en la espalda. Un cristal se astilló. Uno de ellos, al fin, le agarró por las solapas, pero cuando los otros se retiraban sacudiéndose el polvo, el joven con una sola mano le cogió por el cuello y lo sacó por la ventanilla, apretándole por fuera con el otro brazo hasta que la otra visagra cedió y se desplomaron con la puerta sobre el estribo y la aleta trasera. Entonces se echaron todos encima de él, debajo de la rueda y con la boca en el suelo, mientras otros sacaban al caído, arrastrándole por debajo del coche entre las ruedas de atrás. Empezaron a golpearle en la espalda y en la cabeza, pero logró coger a otro por el pantalón y luego por el cuello, y lo volvió a meter debajo de la rueda. Se puso a gritar; uno de ellos quiso recuperarlo golpeándole con una llave; alguien puso el coche en marcha, pero el de abajo empezó a gritar más alto hasta que en un instante sólo se oyeron unos estertores ahogados; había dejado de gritar y yacía en el suelo con las dos piernas abiertas. Entonces apareció el viejo encima de él —una cara voluntariosa y rígida— mirándole fijamente, pero sin decirle nada. Le tendió una mano.

—Sal de ahí. Déjalos. Sal de ahí. Tu padre ha muerto. Ya verás cómo ahora todo se arregla.

Sólo entonces se debieron apercibir de su verdadera corpulencia, exagerada por el terrible abrigo negro, cubierto de polvo. Tenía la frente enrojecida y la cara manchada de sangre y grasa; la camisa se había hecho jirones y la corbata —anudada directamente a un cuello pálido, volviendo su mirada constante y retraída, por encima del coche, hacia el camino de vuelta— no parecía sino el sanguinario y humillante despojo colocado como definitiva afrenta sobre la cabeza del mártir, indolente, altivo y procaz. Luego le sacudió el abrigo, las solapas y los pantalones. Le arregló el pelo, volvió a hacerle la corbata, le limpió la sangre del cuello con saliva, y le metió los faldones de la camisa por la cintura, tapándole el ombligo. Se dejó hacer todo sin mover la cabeza ni alterar la mirada —por encima del coche— que aún seguía atrás, quieta, paradoxal, indefinidamente inmersa en un tiempo del atrás, ausente de toda violencia y de toda actualidad. Le puso también el sombrero, calándolo hasta las cejas, y le colocó las gafas, que habían caído al suelo, con un cristal roto. Los otros les esperaban alrededor de la fosa, sacudiéndose el polvo.

El viejo le cogió de la mano.

—Ven. Vamos a enterrar a tu padre. Vas a ver.

Esperaron un largo rato. El seguía mirando el camino de vuelta y la puerta del coche tirada en el suelo, que el dueño no se había atrevido a recoger.

—Ven. Hay que enterrar a tu padre. Volveremos en seguida.

Hacía tiempo que esperaban. Algunos se habían sentado en las tumbas de alrededor y se sacudían el polvo de los pantalones o se limpiaban la cara con pañuelos planchados. Unos pasos antes de la fosa el viejo le detuvo y le apretó la mano. Giró un poco la cabeza, su mirada no había cambiado: el único ojo visible —encajado detrás de la montura de la gafa rota como una bola de lotería en su discreto alvéolo— tembló tres veces como si obedeciera a tres sacudidas del azar. Luego metió las dos manos entrelazadas en el bolsillo de su abrigo y le arrastró hasta el borde de la fosa; cuando a una señal suya comenzaron a descender la caja suspendida de unas maromas, le estrujó la mano dentro del bolsillo —el ojo no había vacilado, tranquilo, contemplativo, como si tratara de localizar dentro de la visión inconclusa de la tarde el punto a donde le quería conducir una violencia involuntaria. Le apretó más; le clavó las uñas en la palma al tiempo que la caja llegaba al fondo de la fosa y los allí reunidos echaban puñados de tierra encima de ella.

—Tienes que llorar. Tienes que llorar ahora.

Cerró los ojos. Apretó los dientes y las uñas y bajó la vista congestionado, contando hasta veinte. Cuando volvió a mirarle había cerrado los ojos, pero detrás de la gafa rota sus párpados estaban rodeados de una lágrima inicial; no era la mano, ni las uñas, ni la tumba, ni la presencia de los allí reunidos —el viejo lo sabía—, era la repentina y cíclica proximidad del brillo del hombro desnudo que cruzaba el solsticio de su dolorosa órbita para alejarse en el vértigo de la sombría memoria de las tardes obsolescentes.

—Tu buen padre.

Volvió a apretarle de nuevo, hincándole las uñas, y sus ojos se abrieron, el cuerpo avanzado y vacilante embargado por el vacío de la fosa, dejando correr —el jugo exprimido por la mano dentro del bolsillo— unas pocas lágrimas que corrieron por las solapas polvorientas.

—Tu buen padre.

Luego le volvieron de espaldas a la fosa —el viejo le sostenía por debajo del hombro— y uno a uno los amigos y deudos le fueron dando la mano; alguno le dio unas palmadas y otro intentó abrazarle encaramándose a él como la joven musa que ofrece el laurel a un poeta de bronce. El mismo que había llevado la llave y el traje negro explicó al viejo la necesidad, antes de volverle a encerrar, de llevarle a la casa de su difunto padre tanto para hacer acto de presencia en la lectura del testamento como para que el albacea constatara que no se habían producido los motivos de invalidación. Solamente el viejo lo sabía; al encomendarle su custodia indefinida el propio padre le comunicó haber decidido una cláusula de invalidación —«por cuanto que ello se demuestra incompatible con toda persona incapaz de apercibirse de su propia dignidad y del respeto que los demás le han de merecer»—, a fin de impedir cualquier otro intento de chantaje.

La casa conservaba su aroma; todas las ventanas y las contras estaban cerradas, así como una hoja de la puerta de roble —que debían encerar cada año—, con unas grandes aldabas de bronce bruñido. A un lado del vestíbulo, una esclava negra semidesnuda sostenía (esa colonial grandilocuencia del realismo de ultramar) un lampadario flamígero; habían colocado una mesa cubierta con un terciopelo negro y una bandeja de plata que contenía los pliegos y las tarjetas. Sonó un timbre discreto —apenas perceptible desde el exterior— y les introdujeron (pocos días antes de morir su padre había cambiado el servicio) en el salón contiguo al despacho, donde habían de ofrecerle, antes que llegara el notario, una merienda de difuntos. El no lo recordaba siquiera; era una habitación convencional, de un marcado mal gusto formado, al parecer, entre los reservados de los prostíbulos y las salas de espera de las clínicas más modernas de los años veinte; tresillos y sillones de tubo cromado y tapicerías de grisalla, rayos diagonales y envejecidos planetas, rombos y triángulos, que tal vez un día fueron granates y amarillos, y meretricios tapices de samaritanas portadoras de ánforas y pechos desnudos con fondo de oasis y camelleros; y planetarias lámparas de globos y discos de cristal bajo los cuales su memoria se negaba a aceptar un atisbo del ayer.

Se sentaron juntos; no se habían soltado todavía las manos dentro del bolsillo del abrigo negro. Una señora de edad, nueva en la casa, con un traje que casi le llegaba al suelo y cubierta con unos tules negros, que no disimulaban el escote —un pecho gigantesco de piel irisada que empezaba a cuartearse y romperse en mil brillos micáceos— se sentó con ellos y puso su mano en su rodilla. No dijo nada; solamente reclinó la cabeza con pesadumbre; solamente se oían sus suspiros.

—Qué desgracia, Dios mío, qué desgracia.

Luego añadió:

—Ustedes estarán deshechos. Lo que deben haber pasado.

Luego le dio unas palmadas en la rodilla:

—Ahora tendrá usted que continuar el negocio de su padre de usted. Tan joven.

No dijeron nada. No debían comprenderla y apenas se tomaban la molestia de intentar escucharla.

—Vamos a tomar algo caliente mientras vienen los demás. Ustedes estarán deshechos.

En las escaleras se quedó parado. Ella se dio cuenta y se volvió, encogiéndose de hombros y levantando el velo como si tuviera calor, mostrando el escote y unos cuantos dientes de oro con una sonrisa afectada. Le tendió la mano.

—Vamos, suba.

Pero el viejo no le soltó, tirándole de la mano dentro del bolsillo. Al llegar arriba —levantándose un poco el vestido y taconeando con unas chinelas sueltas— dio unas palmadas enérgicas. Era otro pequeño salón, casi idéntico al del piso inferior: las mismas lámparas y alfombras modernistas y ajadas, una pequeña mesa de nogal y unos tapices de la misma serie de bañistas diversos en los diversos desiertos, colgado de unas anillas. Habían preparado merienda para cuatro: un juego de plata de café y unas bandejas con tostadas y dulces. Volvió a palmear, y al fin una joven, con una bata negra y cubierta por un velo negro, que traía una tetera, llenó las tazas con una tisana pálida.

—A lo mejor prefieren café. Su padre tomaba siempre té.

No podían comprenderla; bebieron aquello, el otro levantó la taza con la mano izquierda, sin sacar la derecha del bolsillo.

El timbre discreto sonó varias veces.

—Ustedes me perdonarán.

Cerró la puerta, las dos tazas milagrosamente sostenidas en el aire más que por los dedos por el levitativo equilibrio del miedo o la costumbre de recibir llamadas de la inquietud con el vaso en el aire; sus dientes apretaban ligeramente la loza y la mirada no dirigida a parte alguna, fundida en las sublimadas reliquias de un recodo del ayer donde, a un paso de las aguas fosforescentes, se reflejaba el brillo del hombro desesperadamente inmóvil y evanescente. Luego se oyeron unos pasos abajo, unas voces tranquilas de gente que entraba. El quiso levantarse y forcejearon por primera vez; luego de un tirón se soltó la mano y se puso en pie, escuchando (eran los mismos pasos de antaño, las voces quedas, pero brillantes, hasta los últimos y más codiciables timbres de risas femeninas que llegaban a la habitación infantil en la oscuridad, debajo de las mantas y las cuerdas), pero el viejo volvió a hundirle en el sillón sin decir una palabra. De repente se apagó la luz y él empezó a retroceder apretándose contra el viejo; le soltó la mano y le echó el brazo por encima; de detrás del tapiz salía una luz pálida y violácea que se reflejaba en el disco de cristal y en la tetera de plata. Entró de nuevo la joven para retirar el servicio —no llevaba velo, le miraba fijamente, tan fijamente que parecía aumentar cierta azulada claridad, y la bata se le había soltado hasta la cintura—, pero no se llevó más que la tetera. Y tal vez allí empezó; apenas había descorrido el tapiz volvió de nuevo aquel perfume de almohada que, sin duda, había permanecido intacto a pesar de que el viejo, cada noche, pulverizara un insecticida por toda la casa. Luego encendió otra luz, una raya de luz amarilla debajo del tapiz al tiempo que toda la casa se volvía silenciosa y oscura y ellos (porque él, sin recordarlo, debía haberlo encontrado; no era una vuelta más de la memoria insepulta, destruida y dispersa en mil fragmentos irreconciliables flotando sobre un vaso de castillaza, era más bien el hipertrófico, momentáneo e irascible crecimiento de uno de aquellos fragmentos conservado en alcohol), agarrándose de nuevo de las manos, comenzaron a luchar; tiraron la mesa y las tazas, volcaron el sillón y, una vez en el suelo, se agarraron del cuello. Solamente de cuando en cuando parecían detenerse de común acuerdo para escuchar; no había más que la pequeña luz y el silencio de la casa enorme, los cuatro ojos en un instante atentos, las dos cabezas juntas que volvían a la lucha tras la instantánea (no decepción) comprobación. El joven lo había agarrado por las solapas, pero el viejo, más hábil, con una sola mano le dobló la cara y le estrelló contra la pared; cayó la lámpara y el disco de cristal, dio unos traspiés y fue a agarrarse a un pliegue de la cortina, que se vino al suelo con la barra y las anillas, pero aún le sostuvo la mano recia del viejo, cuya mirada —serena, tranquila, sin reproche alguno, perfectamente fija en los ojos del pupilo— mantenía aquélla un poco tosca y torva, mezcla de resignación y discreta desolación que había constituido desde siempre la esencia de su pupilaje; era un hombre enjuto y fuerte —sosteniéndole aún de la mano todavía le clavaba las uñas en la palma—, de una extracción humilde, que había sido agente y testaferro de su padre en los años del juego, pero al que determinados escrúpulos que brotan en una madurez malograda, una antigua vocación por la honestidad apenas sepultada por la dura obligación de la lucha ilegal en sus años mozos, habían incompatibilizado con los negocios en los que el padre se había enredado; era un hombre que tenía una cuenta pendiente, conocedor de ciertas cosas delicadas y cuya proximidad y dependencia el padre estimó imprescindible, asegurando su fidelidad con la entrega de su confianza en una misión de tanta responsabilidad como el vitalicio pupilaje de su hijo, para que, al menos, se formara un poco aparte del decorado de sus más tiernos años; le había manifestado, además, su decisión de mantenerlo para siempre alejado de su casa y privado de todo contacto con los amigos y socios que administraban la casa. Detrás de la cortina apareció al fin la cama, con una colcha de hilo de seda azul de China, iluminada a baja altura por la lámpara de la mesilla de noche; entonces volvió a clavarle las uñas, y a sujetarle por las muñecas, y a tratar de retenerle con la mirada, quién sabe si buscando una suerte de hipnotización que podía haber estado ensayando a través de los vasos durante cientos de tardes, porque él ya la había visto; tuvo que comprender —había vuelto el perfume, un aroma malsano, inquietante e indefinible, más que el perfume la continua ionización de la atmósfera del burdel por las lamparitas de colores frutales y los vasos tapados y las axilas maquilladas— que toda la capacidad de amenaza y persuasión que podía concentrar en una mirada (porque apenas podía decirle cuatro palabras hilvanadas sin tres blasfemias), preparada en la más severa y rigurosa disciplina, apenas contenía la milésima parte de energía para distraer aquel átomo de memoria del hombro reverberante —no por la silueta de la camarera delante de la lamparilla, ni por la bata de seda negra que se deslizaba por el suelo, ni siquiera por el perfume de almohada, ni por el efluvio de la axila, ni por el humo del cigarrillo fluyendo bajo la pantalla de pergamino de la lamparita, sino justamente del punto de brillo de un hombro ovalado desnudo, precipitando, como la última gota de un ácido sobre la espúrea solución de una memoria incolora, los copos blancos de un deseo tenaz caído en el fondo del vaso para recordarse, repetirse y consumarse—, porque, echándose de nuevo encima de él, le agarró por las solapas y el cuello dispuesto antes a hundirle en el suelo que a permitir que se produjese la nueva violación. Ella no esperaba que luchasen allí; sin embargo, se sentó en la cama, deshaciéndose el peinado. Volvió a encontrar su mirada —a través de los dedos del viejo—; debía ser la misma, pero no era tan profunda; ya no era brillante, había perdido la animación y cierto perverso interés y les veía luchar con la misma indiferencia de antaño. Luego reanudaron la lucha debajo de la cortina; cayó la otra parte y unas pequeñas y groseras miniaturas con marcos de hierro negro; la consola de la otra habitación giró, se apartó de la pared, y, arrastrando la mesa donde habían merendado, se estrelló contra el sofá desventrado. Al fin, arrastrándose por el suelo con el viejo encima y agarrándose al zócalo, a las patas y mordiéndole las manos, logró llegar hasta la cama, y, apoyándose en el testero, ponerse de rodillas mientras la cama empezaba a crujir. Ella, con un gesto de fastidio y cansancio, abandonó la cama. Apoyándose en el frontal de la cama logró incorporarse mordiéndole la mano mientras el viejo le tiraba del pelo y trataba de agarrarle el cuello, al tiempo que ella, con fastidio, empezaba a quitarse las medias.

—No es la misma. No es la misma. No es la misma. ¿No ves que no es la misma? Te digo que no es la misma.

Entonces él se lo sacudió de encima, lo cogió por las manos en sus hombros y, agachándose y pivoteando sobre la barra del testero, lo apartó con un golpe repentino de la espalda; luego giró y lo estrelló contra la pared de una patada en el pecho. Ella se había sentado nuevamente en la cama, se había quitado las medias y toda la ropa interior de luto y sólo cubierta con una ligera combinación transparente, cruzada de brazos y sosteniendo el cigarrillo, cuya ceniza se extendía por las sábanas, le miraba fija y tranquilamente, sin un gesto de aprobación, pero también sin fastidio, sin una sonrisa, ni una expresión definida, ni una elemental actitud de interés, o miedo, o admiración, o desdén, o aburrimiento, tan sólo fija y tranquilamente, como si hubiera sido depositada dentro de la urna en aquel estado semivirginal para seguir mirando eternamente toda la eternidad de aquel cigarrillo, tan aislada del tiempo, y del sol, y de las tardes de invierno, y de las próximas nubes, como el pez boquiabierto y mirón en la cisterna azulina del acuario subterráneo. Cuando se sentó en la cama (con la boca abierta) se miraron durante un largo rato y de cerca; ella no parpadeó, luego le puso la mano en la suya y tampoco parpadeó, sino que, mirando al techo, echó el humo hacia arriba. Luego le puso la mano en el vientre y la paseó por el cuerpo hasta llegar a la axila, los brazos en alto y la cara (al tiempo que ella volvía a echarse), escondiendo su mirada en el techo. Cuando retiró la mano seguía mirando, no había cerrado los ojos debajo de la suya; luego enredó sus dedos en su cabellera y tiró con fuerza; le apretó el cuello y empezó a clavarle las uñas, pero ella se mantuvo inmóvil, sin alterar ni desviar su mirada del techo. Se puso en pie, dio un paso atrás y entonces le miró (trataba de encontrarlo; estaba relacionado con las antiguas palabras del viejo sentado a su lado en la casa arrabalera; la misma indiferencia, la misma falta de pasión, incluso la lamparita de la mesilla de noche rompía también la pared con una diagonal que al iluminar su cara con una luz refleja se unía en un punto de lejanía —sin vínculo de memoria, pero hilvanado con un mismo hilo de miedo y de pasado—, no por un azar ni por cualquier gratuita sacudida de una conciencia giroscópica, sino porque una clandestina necesidad de conocimiento había atravesado con el hilo todos los momentos del horror —con las formas de luz en el techo en sombras de las noches infantiles, bajo las mantas y las cuerdas, los pasos del ayer y los mayores susurros del ayer a través de puertas cerradas, situados siempre en una mañana estéril, en la exangüe claridad de la mañana a través de la malla metálica del ventanuco del lavabo, y los atardeceres violáceos más allá de la parra entrecruzados de hojas que las palabras entrecortadas del viejo (no el aire) parecían mecer, y la lejanía de los vasos, con la silueta, más allá de las hojas y en el mismo sitio (tal vez) que las palabras, de las cumbres aristocráticas y las cordilleras de nombres inmortales que afloraban de la infancia, atravesando el inmenso hastío entre nubes de una adolescencia destruida por mil deseos frustrados vestidos de harapos entre cuatro paredes desnudas y una malla metálica; era tal vez el aviso surgido de aquel atrás que trataba por todos los medios de llegar antes que el deseo), levantó el cuello e irguió el pecho, alzó las rodillas debajo de la tela de nylon y mostró los pies con las uñas pintadas (transformado en una cierta curiosidad que tras un primer proceso reflexivo se convirtiera en el punto donde había de atarse y anudarse el hilo hilvanado en los gestos del ayer, porque...); luego aplastó el cigarrillo en el cenicero de la mesa, lanzó al techo la última bocanada y apagó la luz (el deseo era lo de menos; allí estaba y podía esperar ese previo instante que el deseo desprecia o prefiere consumir en la espúrea contemplación y anticipación de sus gestos, pero que para la memoria, y la conciencia pendiente de un resorte de ella, supone la única oportunidad de liberarse de la servidumbre del pasado; podía, pues, esperar —entre suspiros y reflejos en la oscuridad, y crujidos de las sábanas— como el pago de un dinero diferido durante meses exige al fin un último requisito procastinante, esperando en vano la llegada de un aviso redivivo del pasado nacido de un vaso mugriento o una campanilla de metal o un......); el nylon había caído al borde de la cama y el cuerpo, en la oscuridad, al avanzar victorioso de una lucha con las propias sombras reflejaba su orgullo en la metamorfosis de los pies, y su jactancia a la altura de los hombros, y su victoria en el nacimiento del cuello, y su inagotable capacidad de desprecio en los ojos, y en la formación de la frente (hombro donde años atrás había luchado por primera vez por algo exclusivamente suyo); parecía dormir, y algo de luz se perdía todavía por la nuca, y la espalda reclinada, y el (y donde a la postre había casi definitivamente perdido toda su capacidad de deseo y su inicial reserva de pasión para transmutarlas —pasaron las pieles blancas debajo de los árboles, y sonó la música azucarada por las ventanas abiertas e iluminadas, y luego sonaron las portezuelas de los coches, y hasta una copa rodó por la balaustrada distrayendo el brillo de un hombro desnudo, y más tarde se hizo el silencio de jardín, de donde emergió en la oscuridad la mirada de cansancio del padre, levantándose las solapas de la chaqueta blanca, hacia la ventana con la malla metálica iluminada por la bombilla azul velatoria— en las horas baldías de las tardes intemporales y los transustanciados vasos de una castillaza rancia donde de pronto surge, con la exacta, gratuita y rebelde indiferencia con que entra el cometa en el campo visual del ecuatorial, en las tardes excepcionalmente dulces de una primavera precoz y bajo los efluvios malsanos de los árboles, el brillo fugaz del) hombro, entre los pliegues de las sábanas y la cabellera parda que brillaba como la pelota perdida en un campo de cebada; quiso retroceder sin apartar la mirada de aquel punto (hombro que al entrar fugaz en la memoria desaparecía mil veces repetido y disminuido entre los destellos equívocos de la tarde) y tropezó al borde de la cama con el viejo; no se había desmayado, sino que a medias incorporado y apoyado con un codo en la cama, como un filósofo de cuneta que esperara al viajero inoportuno, parecía sumido en una inútil, perpleja y taciturna reflexión. Quiso luchar de nuevo, pero el viejo no se movió, sentado en el suelo sujetas las manos para impedir que le ahogara, y la mirada quieta en la cama: «Ahí la tienes. Ya lo has conseguido. Ahí la tienes; luego volveremos a casa. Pero si fueras hombre de verdad no lo harías, justamente porque ser hombre significa haber adquirido la fuerza suficiente para no dar un paso hacia allá. Y no digo que no, tal vez para llegar a ser hombre sea necesario hacerlo no para probar el fruto prohibido, sino para conseguir ese hartazgo que te permita despreciarlo en lo sucesivo. De otra forma jamás podrás vivir, jamás podrá tu persona vencer la clausura del tiempo, porque eso que tienes ahí delante —mezclado con perfumes de almohada y cabelleras sueltas— no es más que la encerrona que una muerte apercibida de tu próximo despertar te tiene preparada días tras día. Porque eso es la muerte: vivir ese instante dominado tan sólo por ese instante. Este es seguramente tu primer encuentro con ella, pero volverá más veces; te acuerdas todavía de los campanillazos en las tardes húmedas con la interrogante sobre las aguas de fuera; es la muerte, en un instante resucitada. Un día, una mañana en el campo como no recordarás otra igual, te aparecerá de súbito un camino abierto a tu izquierda y al fondo, tras el rumor de la cabaña, encontrarás la casa que has estado buscando desde tus sueños infantiles: es la muerte. Y otro día será el aviso, esa pregunta terrible de un desconocido que ha estado buscándote mientras tú estabas ausente de la casa: es ella; tardará en volver, pero es ella. Y un día, un día inesperado que en el curso de un minuto es capaz de trastornar toda tu existencia, verás su mano pálida, peluda y temblorosa que adelanta hacia ti la ficha de nácar sobre la mesa de juego, mientras tú, incrédulo, aguardas detrás de tus naipes como el cazador tras el seto. Un día sabrás lo que es eso, sabrás lo que es vivir, algo que sólo se sabe cuando ella ronda el ambiente, porque todo lo demás es inútil, es costumbre y es pasado; el presente, esa parte del tiempo arbitraria, irresponsable, cruel, involuntaria y extraña a ti, tan falsa que de un solo guiño te convertirá en un cadáver, tan estimable que el día que la puedas sobrevivir te harás un hombre y sabrás vivir. Ahí delante la tienes, mirándote a los ojos. Si crees que podrás soportarlo, prueba. Si sales triunfante te aseguro que ninguna llamada volverá a turbar la paz de nuestra siesta. Prueba.» No había hablado, la misma mirada, definitivamente fijada a sus ojos por una especie de resina incolora y llorona, parecía liberada —incluso de la cabeza erguida y sostenida por el pelo de la mano del joven, como la de una Gorgona serena e indiferente— de toda inquietud por una suerte de secreta, triunfal y vagabunda desolación. Volvió a golpearle; se arrojó al suelo encima de él, y cogiéndole la cabeza con las dos manos la golpeó frenéticamente contra el suelo; luego quiso soltar de su cuello las dos manos del viejo y comprendió que la misma fuerza extraña que había fijado su mirada había definitivamente apretado y cerrado sus manos en torno al cuello de su camisa. Estaba tan cerca de su mejilla que en la oscuridad podía contar los puntos blancos de una barba de dos días en una cara noble —como a través del revoco cuarteado nacen los tiernos brotes de una cebada sepulta—, esculpida en la estéril y delicuescente y sombría arcilla sacudida de escalofríos, que temblara durante casi una hora de interminables balbuceos, mojada por las lágrimas que brotaban sin objeto y fueron a caer en la boca semiabierta hasta que, por encima del joven, el brazo desnudo, las uñas pintadas de color de nácar en unos dedos delicados y fríos que fueron soltando con felina y samaritana delicadeza —como si apartara las ramas de un espino— las manos del otro del cuello del joven hasta que la derecha se abatió sobre su propio pecho como un pájaro muerto, y cerró los ojos. Luego los brazos desnudos se cerraron en torno a su cuello y le arrastraron en la oscuridad a la cama deshecha.

Era ya de día cuando le sacaron de la habitación. Dos amigos de su difunto padre se prestaron a ello, cogiéndole por las piernas y los brazos. Toda la casa estaba limpia y en orden, todas las puertas y ventanas cerradas. En la sala donde la tarde anterior se les había servido una taza de té —ordenada y limpia, habían vuelto a colocar la cortina y los muebles rotos habían desaparecido—, con el aroma inconfundible no tanto del bienestar como de un orden celoso de su apariencia, esperaban la mayoría de los amigos y socios de su padre que parecían atentos a la diligencia de un cierto caballero desconocido, enfundado en un abrigo costoso, que sentado en una silla dorada sostenía una cartera de piel de cerdo. Sentaron al hijo en un pequeño sillón rococó —donde apenas cabía—, y entre dos de ellos lo vistieron con torpeza mientras el caballero miraba la escena con indiferencia, sosteniéndose las gafas por el centro. Mientras despertaban al hijo —al fin pudo entornar los párpados, con la boca abierta, llenando la pequeña sala de una especie sexual de ozono—, encendió un cigarrillo, extrajo de la cartera un folio de papel del estado, midió el margen y lo dobló con esmero, y comenzó a escribir al tiempo que arrugaba la nariz y lanzaba pequeños estornudos, mirando y aprobando con frecuencia lo anteriormente escrito. El viejo había entrado también; permaneció junto al sillón, agarrando y sosteniendo su mano. Tenía el pelo mojado, y debajo de la oreja hasta la camisa conservaba un hilo de sangre seca que no se había cuidado de lavar. A las preguntas que el caballero le formuló contestó con un invariable «Sí», mirando la luz de la mañana a través de las persianas verdes. Al fin el caballero firmó, selló y plegó, recogió sus útiles y, lanzando una mirada de disgusto al pasar junto a ellos, quitándose los lentes de hilo de oro, salió de la habitación seguido de los amigos y deudos del finado.

El mismo taxi estaba aún fuera. Su propietario había dejado la puerta suelta en el asiento de atrás. Cuando llegaron a la casa les estaba esperando el mismo que les había llevado la ropa y la llave, dos días atrás. No dijo nada, pero le ayudó a arrastrarlo hasta dentro. Luego examinó el taxi por si habían olvidado algo. El viejo lo había dejado echado sobre un sillón frailuno del vestíbulo y trataba de sacarle el abrigo negro tirando de las mangas.

—Cualquier cosa que ocurra no tiene más que avisarme. Ya sabe usted adónde.

El viejo no contestó, ni siquiera le miró, tirando de la manga. El otro cerró la puerta, dando por fuera dos vueltas a la llave.

Luego siguieron llamando. Todos los domingos, incluso durante un tiempo tal —lo mismo fue un año que un breve instante estupefacto y flatulento— que nadie en la casa fue capaz de contar; interminables mediodías y tardes ventrudas de alargados suspiros que flotaban sobre las aguas encharcadas tras las tapias desnudas; inviernos enteros que transcurrieron en un solitario y lento sorbo, reducidos, decolorados y atomizados en el fondo de un vaso —las miradas cruzadas, que agonizaron por las paredes vencidas, fantaseando la desolación por las manchas aguamarinas de la humedad, que atravesaron en una postrer desesperación los cristales cobrizos y las lechadas de otoño arrabalero hasta las gelatinoimperiales cordilleras donde habían nacido y al final se habían refugiado los hombres aristocráticos, los Bobio y los Valdeodio y hasta el propio barón de Santo Murano (cubierto de pieles malolientes y una espada de palo al cinto, que se alimentaba de zanahorias), las sombras duplicadas de los árboles de la antigua propiedad que anunciaban la llegada de un coloso, sombrío e insólito presente que había de llamar definitivamente.

Un día, la tarde de un día de fiesta, llamaron de una manera muy singular. La casa, como el barco que misteriosamente se para y se apaga minutos antes de la explosión, había quedado en silencio. Llamaron insistentemente, pero sin prisa. Pero al fin la puerta de atrás se abrió: todo el jardín estaba cubierto de un palmo de agua que empezaba a inundar parte de la casa; en el corredor habían colocado el ataúd, y como el agua ya alcanzaba algunos centímetros, todo parecía indicar que en cualquier momento iba a salir navegando; el cadáver estaba cubierto con un hábito blanco y un pañuelo negro en torno a la cabeza le sujetaba la mandíbula; sus ojos habían quedado abiertos y —en medio de una absurda aureola de hojas y cardos secos y nardos ajados— parecía haberse cristalizado la demente, estoica, estupefacta y contradictoria ansiedad con que había tratado, en vida, de contemplar su porvenir a través de un vaso. El viejo estaba a un lado, solo, apoyado en la pared del pasillo, ocultando las lágrimas con un pañuelo sucio. Sin levantar la vista, dijo:

—Pasen, pasen. Pueden ustedes pasar.

No había nadie, pero, una vez más, la mano —salida de las aguas— tiró del cordón y sonó la campanilla. El viejo, sin quitarse el pañuelo de color de hierbas de la cara, cruzó el jardín y apartó la barra. El agua había subido tanto que le pasaba de los tobillos; los puntales de la parra se habían podrido y una parte de ella se había caído.

Abrió, al fin, la puerta del jardín, escondiendo la cara.

—Pasen, por favor, pasen.

Al ver el agua se quedó parado. Luego, un niño entró corriendo saltando sobre las piedras blancas que formaban las antiguas cercas, hasta la puerta abierta y el corredor que despedía un tufo intenso a interior cerrado.

Junto a la puerta flotaba en el agua una pequeña pelota de goma blanca, del tamaño de una naranja.

INDICE

Prólogo, Félix de Azúa V
Nunca llegarás a nada 1
Baalbec, una mancha 53
Uno 55
Dos 60
Tres 63
Cuatro 73
Cinco 81
Seis 91
Duelo 95
Uno 97
Dos 104
Tres 112
Cuatro 119
Cinco 125
Seis 130
Siete 136
Ocho 142
Después 147

ESTE LIBRO SE TERMINO DE IMPRIMIR
EN LOS TALLERES GRAFICOS DE
UNIGRAF, ARROYOMOLINOS,
MOSTOLES, MADRID, EN
EL MES DE MARZO DE
1990